Bernd Imgrund

111 Deutsche, die man kennen sollte

111

emons:

Bibliografische Information der Deutschen Nationalbibliothek
Die Deutsche Nationalbibliothek verzeichnet diese Publikation
in der Deutschen Nationalbibliografie; detaillierte bibliografische
Daten sind im Internet über http://dnb.d-nb.de abrufbar.

© Emons Verlag GmbH
Alle Rechte vorbehalten
Gestaltung: Barbara Thoben/Designbüro Lübbeke Naumann Thoben
© der Fotografien: siehe Fotonachweis Seite 240
Covermotiv: Einstein: © Ferdinand Schmutzer
Kartografie: altancicek.design, www.altancicek.de
Kartenbasisinformationen aus Openstreetmap,
© OpenStreetMap-Mitwirkende, ODbL
Druck und Bindung: B.O.S.S Medien GmbH, Goch
Printed in Germany 2016
Erstausgabe 2016
ISBN 978-3-95451-836-4
Aktualisierte Neuauflage Mai 2016

Unser Newsletter informiert Sie
regelmäßig über Neues von emons:
Kostenlos bestellen unter
www.emons-verlag.de

Vorwort

Kennen Sie Georg Faust, Wilhelm Schickard oder Konrad Zuse? Von Goethe, Marx oder Einstein hat jeder schon einmal gehört, und auch Hildegard von Bingen, Martin Luther und Johannes Gutenberg zählen zum Kanon der deutschen Prominenz. Andere »berühmte Deutsche« wiederum, die dieser Band versammelt, treten als Persönlichkeit hinter ihre Erfindung, hinter die Auswirkungen ihres Schaffens zurück. Die bei den Germanen so einflussreiche Seherin Veleda (1. Jh.) hat die deutsche Geschichte entscheidend mitgeprägt. Der Rechenmeister Adam Ries (16. Jh.) brachte die Mathematik unters Volk und prägte nicht zuletzt eine bis heute beliebte Redewendung: »Nach Adam Riese macht das ...« Und Samuel Hahnemann aus Meißen (18. Jh.) erweiterte den Horizont der Medizin, indem er die Homöopathie als neuen Weg empfahl.

Dieses Buch heißt absichtlich nicht »Die 111 berühmtesten Deutschen«. Wer fehlt oder eigentlich nicht hineingehört, mag jeder Leser für sich entscheiden. Alle Jahre wieder tauchen Listen auf, die sich den wichtigsten, mächtigsten, (erfolg)reichsten Deutschen widmen. Je nach Auswahlkriterien und -gremium kann dann dort auch jener Schlagersänger auftauchen, der gestern einen Hit hatte und morgen wieder in der Versenkung verschwinden wird. Berühmtheit ist ein flüchtiges Gut. Wer es über Jahrhunderte transportiert, muss Außergewöhnliches geleistet haben. Also etwa: die 9. Sinfonie komponiert haben, wie Ludwig van Beethoven; die Bluejeans erfunden haben, wie Levi Strauss; oder so viele Herzen gerührt haben wie Sisi, die aus Bayern stammende österreichische Kaiserin.

Geschichte wird spannender, wenn sie erlebbar ist. Deshalb werden die hier aufgeführten »berühmten Deutschen« mit den Orten in Verbindung gebracht, für die sie zeitlebens standen und die heute ihr Gedächtnis bewahren.

111 Deutsche

1 Konrad Adenauer

Politiker, Erfinder, Kölner

Man könnte ihn auch als Erfinder bezeichnen. Als Köln während des Ersten Weltkriegs hungerte, entwickelte er eine billige Soja-wurst und das »Rheinische Schrotbrot« auf Mais- statt Weizen-basis. Auch seine technischen Innovationen drehten sich häufig um das leibliche Wohl der Menschen, etwa die »Vorrichtung zur Verhinderung des Überfahrenwerdens durch Straßenbahnwa-gen«. Aber in erster Linie ist dieser Konrad Adenauer als Politiker bekannt, zunächst als Oberbürgermeister Kölns (1917–1933 und 1945) und sodann als erster Bundeskanzler der Nachkriegszeit (1949–1963). In dieser Funktion wiederum »erfand« er die Bon-ner Republik, wie man Westdeutschland bis zur Wiedereinset-zung Berlins als Hauptstadt nannte. Denn der Kanzler wohnte in Rhöndorf bei Bonn, und von der 1949 alternativ gehandelten Kapitale Frankfurt am Main hielt er rein gar nichts.

Konrad Adenauer wurde in Köln geboren, er wuchs dort auf und trat dort auch ins Berufsleben ein. Nach Rhöndorf, 40 Kilo-meter südlich und auf der »falschen«, rechten Rheinseite gelegen, zog er keineswegs freiwillig. Der Kölner OB war kein Freund der Nazis, Hitler hatte er bei dessen Besuch den Handschlag verwei-gert. Postwendend wurde er deshalb nach dem Wahlsieg der NS-DAP im März 1933 seines Amtes enthoben und aus der Stadt ver-wiesen. Nur knapp entkam die Familie dem Bankrott, Rhöndorf wurde zur Zuflucht und zweiten Heimat.

Adenauers Anwesen dient seit 1970 als Gedenkstätte. Im Emp-fangsgebäude durchstreift man eine museale Ausstellung mit Ex-ponaten zum Politiker und Privatmann. Dahinter liegt, wunder-schön am Steilhang über dem Rhein, das Wohnhaus, das er wegen des frühen Todes seiner Frau Gussie ab 1948 allein bewohnte. Hier empfing er auswärtige Gäste, hier stutzte er seine Rosenrabatten, und hier frönte er – auf einem eigens angelegten Platz – seinem liebsten Hobby: dem Bocciaspielen.

Und heute? Denkmäler stehen vor dem ehemaligen Kanzleramt in Bonn und in Köln an der Ecke Mittel- und Apostelnstraße. Auch im Bonner Haus der Geschichte ist er sehr präsent. | Adresse Adenauerhaus: Konrad-Adenauer-Straße 8c, 53604 Bad Honnef-Rhöndorf, www.adenauerhaus.de (Mai–Sept. Di–So 10–18, Okt.–April 10–16.30 Uhr); Haus der Geschichte der Bundesrepublik Deutschland: Willy-Brandt-Allee 14, 53113 Bonn, www.hdg.de (Di–Fr 9–19, Sa, So 10–18 Uhr) | **Bild oben** Konrad Adenauer in den späten 1950ern | **Bild unten** Das Adenauerhaus in Rhöndorf

2 Georgius Agricola

Der »Vater der Mineralogie«

Eigentlich hieß er nur schnöde Georg Bauer. Aber nachdem er 1518 sein Theologiestudium abgeschlossen hatte, folgte er einem zeitgenössischen Humanistenbrauch und latinisierte seinen Namen. Der ebenso ehrgeizige wie neugierige Georgius Agricola sollte sich zu einem der hellsten Köpfe der Renaissance entwickeln. 1523 trieb es ihn nach Italien, wo er neben Griechisch und Hebräisch auch Medizin studierte und in diesem Fach schließlich promovierte. Vier Jahre später nahm er eine Stelle als Stadtarzt und -apotheker im Bergmannsort Joachimsthal im heute tschechischen Teil des Erzgebirges an. Und hier nun entdeckte er sein Interesse am Gestein, an der Mineralogie, das ihn weithin bekannt machen sollte.

Neben einer Handvoll Steinen trägt der bronzene Agricola in seiner Geburtsstadt Glauchau ein großes Buch unter dem Arm. Nach Werken zur Pädagogik und zur Vereinheitlichung der Maße und Gewichte veröffentlichte der Wissenschaftler 1530 den »Dialog über den Bergbau«, einen frühen Beitrag zur Entstehung und Nutzung der Minerale. Auch als »Stadtleybarzt« in Chemnitz setzte er seine Untersuchungen fort. Nachdem er in zweiter Ehe die Tochter eines ehemaligen Bergwerksbesitzers geheiratet hatte, war Agricola finanziell unabhängig – beste Voraussetzungen also für die Abfassung weiterer Schriften, die in seinem 1556 veröffentlichten Hauptwerk gipfelten: »De re metallica libri XII«. Diese zwölf Bücher »vom Bergkwerck« wurden – auch international – zum ersten Standardwerk über das Hüttenwesen, die Geo- und Mineralogie.

Traurig allerdings für den Autor, dass er den Erfolg seines Kompendiums nicht mehr erleben durfte – Agricola war bereits ein Jahr zuvor gestorben. Und auch seine Beerdigung stand unter keinem glücklichen Stern. Weil er im reformierten Sachsen katholisch geblieben war, verweigerte man ihm ein Begräbnis auf Chemnitzer Boden. Deshalb liegt er heute im Dom zu Zeitz.

Und heute? Der Förderung der Geschichte der Naturwissenschaften und Technik hat sich die 1961 gegründete »Georg-Agricola-Gesellschaft« verschrieben (www.georg-agricola-gesellschaft.de). | Adresse Glauchauer Agricola-Statue: Bahnhofspark, 08371 Glauchau; Zeitzer Dom St. Peter und Paul: Schlossstraße 6, 06712 Zeitz, www.kath-zeitz.de (Ostern–Ende Okt. Di–Sa 10–17, So 13–17, Ende Okt.–Ostern Di–Fr, Sa 11–15 Uhr, So 13–15) | Bild Das Agricola-Denkmal in Glauchau

3 Albertus Magnus
Universalgelehrter und Friedensstifter

Bekannt ist der »große« Albert in der ganzen Welt. Sogar vor den Universitäten von Bogotá in Kolumbien und Houston/Texas steht ein Abguss jener Statue, die den Eingang der Kölner Alma Mater bewacht. Über die Jugend dieses Albert aus dem schwäbischen Lauingen weiß man nicht allzu viel. Als gesichert gilt, dass er Anfang der 1220er Jahre in Padua lebte und dort ein Studium der Freien Künste aufnahm. Spätestens hier lernte er die Schriften des Aristoteles kennen. Der Grieche sollte zu einem Leitstern seines Denkens werden. In der Folge entwickelte sich Albert zu einem Universalgelehrten des Mittelalters, der Theologie und Naturwissenschaften, Orient und Okzident, Antike und Christentum in Zusammenhang brachte.

Aus heutiger Sicht hatte er aber auch einigen Dreck am Stecken. Unter anderem sprach er sich für die Verbrennung des jüdischen Talmud aus und zog 1263/64 im Auftrag des Papstes als Kreuzzugsprediger durch deutsche Landen. In Köln jedoch galt er bereits zu Lebzeiten als famoser Friedensstifter. 1252 im »Kleinen« und sechs Jahre später im »Großen Schied« sorgte Albert für den Ausgleich zwischen dem machtbewussten Erzbischof auf der einen und der aufstrebenden Bürgerschaft auf der anderen Seite.

Schon in den 1220ern hatte er sich eine Weile am Rhein aufgehalten. Der Dominikaner-Novize war hier zum Priester geweiht worden. Anschließend führte ihn das Ordensleben unter anderem nach Paris, wo er promovierte. Als er 1248 nach Köln zurückkehrte, erlebte er die Grundsteinlegung des Doms. Und es erwartete ihn eine große Aufgabe: Albert sollte für die Dominikaner ein Studium generale etablieren, was ihm offenbar hervorragend gelang. Die Klosterschule zog unter seiner Leitung Wissbegierige aus ganz Europa an, man könnte sagen: Hier entwickelte sich Deutschlands erste Hochschule, aus der 1388 die Kölner Universität hervorging.

Und heute? Ein weiterer Abguss der Kölner Statue findet sich vor der Friedrich-Schiller-Universität Jena. Aufrecht steht Albertus vor dem Lauinger Rathaus. Begraben liegt er in der Krypta von St. Andreas, nahe dem Kölner Dom. | Adresse Universität zu Köln: Albertus-Magnus-Platz 1, 50932 Köln; Grab St. Andreas: Komödienstraße 4, 50667 Köln (täglich 8–18 Uhr) | Bild Das 1956 von Gerhard Marcks geschaffene Albertus-Magnus-Denkmal vor der Kölner Universität

4_Arminius

Der »Befreier Germaniens«

Vom 386 Meter hohen Teutberg aus hat man einen schönen Blick über den Teutoburger Wald. Das pompöse Hermannsdenkmal auf seinem Buckel dient seit seiner Vollendung 1875 als Touristenmagnet. Es zeigt einen fast 27 Meter hohen Titanen mit erhobenem Schwert, geflügeltem Helm und keckem Hüftschwung. Je nach Veranlagung mag den Besucher diese Inszenierung belustigen oder unangenehm berühren. Was jedoch sofort klar wird: Hier geht es nicht nur um einen »großen« Mann, sondern vielmehr um ein Symbol.

Im 19. Jahrhundert, als die deutschen Kleinstaaten mittels mehrerer Kriege auf eine nationale Einheit zusteuerten, wurde Hermann ein Star. Der Cheruskerfürst stand für ein starkes, trutzigtrotziges Deutschland. Gern griff man jenen Titel auf, den der römische Historiker Tacitus ihm verliehen hatte: »Befreier Germaniens«. Dabei kennen wir in Wirklichkeit nicht einmal seinen echten Namen. Antike Quellen legen den Vornamen »Arminius« nah, während »Hermann« (also Heer-Mann, Soldat, Kämpfer) eine Erfindung des 16. Jahrhunderts ist. Die Varusschlacht hingegen hat auf jeden Fall stattgefunden, im Teutoburger Wald, bei Kalkriese oder sonst wo. Jedenfalls wurden im Jahre 9 unter der Führung eines germanischen Kriegsherrn drei römische Legionen vernichtend geschlagen. Die bittere Niederlage stoppte den weiteren Vormarsch der Römer östlich des Rheins. Und zugleich gebar sie einen ersten deutschen Nationalhelden.

Ob Arminius/Hermann allerdings damals tatsächlich als Patriot handelte, ist zweifelhaft. Schon sein Vater stand in römischen Diensten, er selbst befehligte einen Verband germanischer Soldaten im römischen Heer. Arminius sprach Latein und war im Besitz des römischen Bürgerrechts – alles Indizien dafür, dass es ihm unter der Fremdherrschaft zunächst nicht allzu schlecht ging. Um das Jahr 7 herum jedoch kehrte er zu seinen Cheruskern zurück. Und der Rest ist Legende.

Und heute? Neben dem Hermannsdenkmal erinnert der Museumspark Kalkriese bei Bramsche an die Varusschlacht. | **Adresse** Hermannsdenkmal: 32760 Detmold-Hiddesen, www.hermannsdenkmal.de (März–Okt. 9–18, Nov.–Feb. 9.30–16 Uhr); Ausstellung Kalkriese: Venner Straße 69, 49565 Bramsche-Kalkriese, www.kalkriese-varusschlacht.de (April–Okt. täglich 10–18, Nov.–März Di–So 10–17 Uhr) | **Bild** Das Hermannsdenkmal in Hiddesen

5 August der Jüngere

»Alles mit Bedacht«

Er war einer der ungewöhnlichsten Herrscher, die je in deutschen Landen das Sagen hatten. August der Jüngere, Herzog von Braunschweig-Lüneburg-Wolfenbüttel, unterhielt einen bescheidenen Hofstaat und interessierte sich nicht im Geringsten für Militär und Eroberungsfeldzüge. Umso mehr jedoch war er ein Freund der Künste, ein überaus gebildeter Mensch und nicht zuletzt: ein leidenschaftlicher Sammler. So kam es, dass in Wolfenbüttel die bedeutendste Bibliothek nördlich der Alpen entstand.

Manchmal ist es offenbar ein Segen, wenn einem Regenten die Macht erst in späten Jahren zufällt. August wurde als siebtes und letztes Kind seiner Welfen-Linie geboren, hatte daher praktisch keinerlei Aussichten auf spätere Herrschaft. Statt sich also auf das Regieren vorzubereiten, besuchte er verschiedene Universitäten, bereiste Europa und lernte neben Latein und Griechisch auch Italienisch, Französisch und Englisch. 1604 von seinem Bruder mit dem Amt Hitzacker abgefunden, verbrachte er die folgenden 30 Jahre in der Provinz und arbeitete am Grundstock seiner Bibliothek. 1632 nahm man ihn in die »Fruchtbringende Gesellschaft« auf, einen der bedeutenden Literaturzirkel der Barockzeit. Und als schließlich in seiner Familie das große Sterben begann, mutierte August im Alter von 56 Jahren doch noch zum Thronfolger. Wegen des Dreißigjährigen Krieges vergingen neun weitere Jahre, bis er 1644 in Wolfenbüttel einziehen konnte – zusammen mit 470 Zentnern Bücher.

Schon zu seinen Lebzeiten zählte die Herzog-August-Bibliothek über 40.000 Bände, eigenhändig katalogisiert durch ihren Gründer. Inzwischen gehört sie zu den international wichtigsten Forschungsstätten für das Mittelalter und die Frühe Neuzeit. Auch heute noch wird hier weiter gesammelt, publiziert und mittlerweile auch digitalisiert – gemäß dem Wahlspruch des Gründervaters, der da lautete: »Alles mit Bedacht«.

Und heute? Für Wolfenbüttels Handwerkerschaft ließ der Herzog 1652 die August-stadt errichten, die heute zum historischen Zentrum zählt. Augusts Reiterdenkmal steht auf dem Marktplatz Wolfenbüttels. | **Adresse** Herzog-August-Bibliothek: Lessingplatz 1, 38304 Wolfenbüttel, www.hab.de (Lesesaal: Mo–Fr 9–17, Museale Räume: Di–So 10–17 Uhr) | **Bild oben** August auf einem Porträt von 1666 | **Bild unten** Die Herzog-August-Bibliothek in Wolfenbüttel

6 August der Starke

Klotzen statt kleckern

Die Staatsstraße 179 führt von Dresden aus geradewegs nach Norden und endet in Moritzburg an einer T-Kreuzung. Wer hier weiter geradeaus geht, landet auf der Zufahrt zum Schloss Moritzburg, dem Landsitz Augusts des Starken. Das von Wasser umgebene Lustschloss präsentiert sich kompromisslos opulent wie alles an diesem Mann. In Sachsen nennt man die Spanne von 1694 bis 1763 auch das »Augusteische Zeitalter«, und die ersten 40 Jahre gehörten allein dem absolutistisch herrschenden Friedrich August I. Seinen Beinamen »der Starke« trug er wohl zu Recht: Angeblich konnte er mit bloßen Händen Hufeisen zerbrechen und Münzen zwischen seinen Fingern verbiegen. »Stark« präsentierte sich der sächsische Kurfürst und König von Polen (ab 1697) jedoch auch in Sachen Verschwendungssucht und im Umgang mit dem weiblichen Geschlecht. Die Zahl seiner Mätressen ist Legende, die Klatschtante Wilhelmine von Bayreuth, Schwester Friedrichs des Großen, dichtete ihm 354 unehelich gezeugte Kinder an. Kurzum: August der Starke steht wie kein anderer deutscher Fürst für die Ausschweifungen, die Prasserei, das Überladene des Barockzeitalters.

Wer heutzutage durch »Elbflorenz« flaniert, kommt an August nicht vorbei. Der Zwinger und die Sammlung der Gemäldegalerie gehen ebenso auf ihn zurück wie das Taschenbergpalais, das er Anfang des 18. Jahrhunderts für seine langjährige Geliebte, die Gräfin Cosel, errichten ließ. Ob er sein nach außen hin rauschhaftes Leben wirklich genoss, steht allerdings auf einem anderen Blatt. August war zuckerkrank, er litt unter Bluthochdruck und Übergewicht, weshalb er bereits mit 62 Jahren an einem Schwächeanfall starb. Sein Vertrauter, Jakob Heinrich von Flemming, schrieb: »Sein größtes Vergnügen war die Liebe, obwohl er nicht so viel Spaß an ihr fand, wie er anderen glauben machen wollte. Er hat geliebt, um Aufmerksamkeit zu erregen.«

Und heute? August steht als »Goldener Reiter« in der Dresdner Neustadt, sein Herz
ruht in der Stiftergruft der Dresdner Hofkirche. Der Zwinger samt Gemäldegalerie kann
besichtigt werden, im Taschenbergpalais residiert das Nobelhotel Kempinski. | Adresse
Schloss Moritzburg: Schlossallee, 01468 Moritzburg, www.schloss-moritzburg.de
(10. Feb.–29. März Di–So 10–16.30, 30. März–1. Nov. täglich 10–17.30 Uhr); Zwinger:
Theaterplatz 1, 01067 Dresden, www.der-dresdner-zwinger.de (Museen: Di–So
10–18 Uhr) | Bild oben August, gemalt nach 1716 | Bild unten Schloss Moritzburg

7 Johann Sebastian Bach

Passionen, Variationen und die Kunst der Fuge

Die Nikolaikirche gilt heutzutage als Keimzelle jener Bewegung, die das Ende der DDR heraufbeschwor und damit den Weg zur deutschen Wiedervereinigung ebnete. Am Karfreitag, dem 7. April 1724 fand hier die Uraufführung von Johann Sebastian Bachs Johannespassion statt. Die Matthäuspassion hingegen präsentierte er fünf Jahre später in jener Leipziger Kathedrale, die noch enger mit seinem Namen verbunden ist: der Thomaskirche.

Der in Eisenach aufgewachsene Bach hatte sich nach diversen Jobwechseln 1723 in Leipzig niedergelassen. Hier hatte man ihn als Thomaskantor engagiert, und hier entstanden einige seiner berühmtesten Werke: vom Weihnachtsoratorium (1734) über die Goldberg-Variationen (1741) bis zur Kunst der Fuge, vollendet ein Jahr vor seinem Tod. So angesehen die Stelle, so anspruchsvoll war sie auch. Für jede Sonn- und Feiertagsmesse schrieb Bach eine neue Kantate für die Hauptkirchen der Stadt und übte sie mit den Musikern ein. Mit Arbeitsantritt war er außerdem Leiter des bis heute berühmten, bereits 1212 gegründeten Thomanerchors. Ein »Hörkabinett« im Leipziger Bachmuseum bietet die Möglichkeit, seine Kompositionen im Klang zeitgenössischer Instrumente kennenzulernen.

Vielen gilt Johann Sebastian Bach als der bedeutendste und Urahn einer langen Reihe großer deutscher Komponisten. Über seine Persönlichkeit, seinen Charakter weiß man wenig – im Vergleich zu Mozart oder Beethoven bleibt er der große Unbekannte. Immerhin ist belegt, dass sein Ururgroßvater Veit Bach zwar im Hauptberuf Bäcker, aber nebenher ein talentierter Lautenspieler war. Und im Eisenacher Bachhaus erfährt man, dass sein Vater 23 Jahre als Ratsmusiker arbeitete und in der Bachschen Wohnung auch die Stadtpfeifer probten. Das Hausaufgabenmachen mag unter diesen Umständen schwierig gewesen sein. Aber der Kontakt zur Musik war von Anfang an da.

Und heute? Denkmäler findet man unter anderem in seinen Wohnorten Eisenach, Arnstadt, Mühlhausen, Köthen und Leipzig. | **Adresse** Bachmuseum: Thomaskirchhof 15/16, 04109 Leipzig, www.bachmuseumleipzig.de (Di–So 10–18 Uhr); Bachhaus: Frauenplan 21, 99817 Eisenach, www.bachhaus.de (täglich 10–18 Uhr) | **Bild oben** Bach auf einem Gemälde von Elias Gottlob Haußmann (1748) | **Bild unten** Die Leipziger Thomaskirche

8 Ludwig van Beethoven
Phantasie und Wirklichkeit

Den kleinen Bonner Ludwig hatte sein Vater zu einem Wunderkind à la Mozart bestimmt. Bereits ab dem vierten Jahr erteilte er dem Sohn Klavierunterricht und organisierte ihm öffentliche Auftritte. Was immer der Junge zu Papier brachte, es wurde veröffentlicht. Ludwig hing nicht an seinem Vater, wehrte sich jedoch auch nicht gegen dessen massiven Ehrgeiz. Stattdessen wurde er – so erinnert sich ein Klassenkamerad – ein stiller, in seine Musikstudien versunkener Schüler. Erste Erfolge feierte er Mitte der 1790er zunächst als Pianist. Der Wegbereiter der musikalischen Romantik begeisterte das Publikum mit seiner hohen, einer ausschweifenden Phantasie geschuldeten Improvisationskunst. Nicht umsonst nannte er seine hochromantische Klaviersonate Nr. 14 (die »Mondscheinsonate«, 1801) im Untertitel eine »Sonata quasi una Fantasia«.

Bonn ist Beethovens Geburtsstadt, aber seine großen Sinfonien hat er woanders komponiert. Die 5. zum Beispiel, die »Schicksalssinfonie«, entstand zwischen 1804 und 1808 in Wien. Dorthin war er bereits 1786, mit knapp 16 Jahren, das erste Mal gereist. Sein damaliger Plan, Unterricht bei Mozart zu nehmen, scheiterte. Bald darauf war seine Mutter tot und sein Vater ruiniert vom Alkohol. 1792 kehrte er Bonn endgültig den Rücken und lebte fortan in der habsburgischen Kaiserstadt, die seine zweite Heimat werden sollte. Hier notierte er auch sein letztes großes Werk. Die 9. Sinfonie, endend mit Schillers »Ode an die Freude«, wurde schon bei der Uraufführung am 7. Mai 1824 begeistert gefeiert.

Der Komponist jedoch war seinerzeit längst ein schwer kranker Mann. Etwa ab 1818 vollkommen taub, musste er das Klavierspielen aufgeben und geriet obendrein in materielle Nöte. Wie sein Vater trank er zu viel, jahrelang litt er an einer Leberzirrhose. 20.000 Menschen folgten seinem Sarg, nachdem er am 26. März 1827 gestorben war.

Und heute? Auf dem Bonner Markt steht ebenso ein Denkmal wie in Wien gegenüber dem Konzerthaus und in zahlreichen anderen Orten. Sein Grab liegt auf dem Wiener Zentralfriedhof (Gruppe 32A). | Adresse Beethoven-Haus: Bonngasse 20, 53111 Bonn, www. beethoven-haus-bonn.de (April–Okt. täglich 10–18, Nov.–März Mo–Sa 10–17, So 11–17 Uhr); Wohnung Wien-Heiligenstadt: Probusgasse 6, 1190 Wien, www.wien-museum.at (Di–So 10–13 und 14–18 Uhr) | **Bild oben** Beethoven auf einem Porträt von Joseph Karl Stieler (1820) | **Bild unten** Im Bonner Beethoven-Haus

9— Emil Berliner

33 ⅓ Umdrehungen pro Minute

Der Sohn eines jüdischen Textilhändlers arbeitete in einem Krawattenladen, bevor er 1870 in die USA auswanderte. Auch dort blieben seine Jobs zunächst bescheiden: Emil verkaufte Kurzwaren und verdingte sich als Flaschenspüler in einem Chemielabor. Aber der junge Mann hatte große Pläne. Seine Wohnung wurde zum Experimentierstudio, 1877 entwickelte er hier ein verbessertes Mikrofon für das im Vorjahr auf den Markt gekommene Telefon des Graham Bell. Emil Berliner verkaufte seine Erfindung für 50.000 Dollar und professionalisierte seine Instrumente. In jenem Jahr 1877 hatte Thomas Edison das weltweit erste Gerät zur Aufzeichnung von Tondokumenten präsentiert. Sein Tonträger war zylinderförmig und hatte noch keine Ähnlichkeit mit dem, was dank Berliners Weiterentwicklung kommen sollte. Zehn Jahre später meldete er Vollzug: Das Grammofon und die Schallplatte wurden patentiert. Emil Berliner begnügte sich nicht mit der Auslieferung des Materials, sondern machte sich sofort an die Einrichtung eigener Tonstudios. Neben frühen Jazz-Musikern tauchte dort 1902 auch der junge Tenor Enrico Caruso auf und hinterließ seine ersten musikalischen Spuren.

Wie so viele Erfinder, beschränkte sich Emil Berliner nicht auf ein einziges Feld. In den Folgejahren arbeitete er unter anderem an der Optimierung von Parkettböden und Hubschraubern. Obwohl er seiner Heimat früh den Rücken gekehrt hatte, riss Berliners Kontakt zu Hannover nie ab. Hier gründete er 1881 die Berliner Telefonfabrik, hier wurden ab 1898 auch Schallplatten produziert. Der Tagesausstoß von 36.000 Platten 1906 steigerte sich bis zu Emil Berliners Tod 1929 auf maximal 83.000. Im Laufe der 1950er schließlich vollzog sich hier der Wechsel von Schellack- zu Kunststofftonträgern: Die Vinyl-Scheibe begann ihren Siegeszug, 33 ⅓ Umdrehungen pro Minute wurden zum Standard.

Und heute? Die Schallplatte wurde von CDs und schließlich digitalen Musikformaten überholt, erfreut sich jedoch immer neuer Retrowellen. Die »Emil-Berliner-Studios«, aus Berliners »Deutscher Grammophon« hervorgegangen, sind ein renommiertes Tonstudio in Berlin. In Hannover findet man eine Gedenktafel für die Familie Berliner sowie ihr Familiengrab. | **Adresse** Gedenktafel: Villa Simon, Königsworther Platz, 30167 Hannover; Grab: Jüdischer Friedhof, An der Strangriede, 30167 Hannover | **Bild oben** Emil Berliner um 1910 | **Bild unten** Langspielplatte, 33⅓ Umdrehungen

10 Otto von Bismarck

Der Eiserne Kanzler

Im Parlament ließ er sich nur blicken, wenn es nötig war. Und dann saß er da, in seiner Magdeburger Kürassieruniform, und verschränkte die Arme vor der zugeknöpften Brust. Bismarck verachtete die Demokratie, er war Monarchist durch und durch. Er diente seinem König, aber zugleich leitete er ihn auch an. Das heutige Europa, erst recht das heutige Deutschland, sähen ohne den ehemaligen Reichskanzler anders aus.

In Friedrichsruh, wo er ab 1871 wohnte, steht seit 1927 auch sein Museum. Unter anderem hängt dort jenes bekannte Kreidebild von Franz Krüger: Bismarck als elfjähriger Junge, noch ohne den Seehundschnäuzer, mit struppigem Haar und breiter Stirn. Der hätte auch Bäcker oder Zimmermann werden können, sagt man sich. Wurde er aber nicht. Sondern Bummelstudent der Juristerei, Bonvivant, Schuldenmacher und schließlich – dank der geerbten elterlichen Ländereien – ab 1839 für rund 15 Jahre Gutsverwalter. 1846 trat er trotz ausdrücklicher Abneigung gegen die Bürokratie sein erstes öffentliches Amt an: als Deichhauptmann in Jerichow. 16 Jahre später ernannte ihn König Wilhelm I. zum preußischen Ministerpräsidenten und Außenminister.

Mit den gewonnenen Kriegen gegen Dänemark (1864), Österreich (1866) und Frankreich (1870/71) verwandelte er Preußen endgültig in eine europäische Großmacht. Das Ende der Kleinstaaterei bedeutete zugleich den Anfang eines geeinten deutschen (Kaiser-) Reiches. Und bevor er 1890 von Wilhelm II. entlassen wurde, hatte er auch innenpolitisch bedeutende Wegmarken gesetzt: Die Sozialistengesetze einerseits, mit denen er 1878 die SPD illegalisierte, und ein elaboriertes Sozialversicherungswesen andererseits, das den Arbeitern Kranken-, Unfall- und Rentenschutz gewährte. In seinen Memoiren schrieb er dazu kalt und ehrlich: »Mein Gedanke war, die arbeitenden Klassen zu gewinnen, oder soll ich sagen zu bestechen, den Staat als soziale Einrichtung anzusehen.«

Und heute? Nach Bismarck wurden unter anderem Zechen, Stadtteile und sogar eine Hering-Spezialität benannt. Bundesweit findet man noch rund 150 Bismarcksäulen, die ab 1900 für den Eisernen Kanzler errichtet wurden (www.bismarcktuerme.de). | **Adresse** Bismarck-Museum: Am Museum 2, 21521 Friedrichsruh, www.bismarck-stiftung.de (April–Okt. Di–So 10–18, Nov.–März Di–So 10–16 Uhr) | **Bild oben** Bismarck-Porträt von Franz Lenbach (1889) | **Bild unten** Im Bismarck-Museum in Friedrichsruh

11 Dietrich Bonhoeffer

Bekennender Christ und Märtyrer

Sein Leben endete am 9. April 1945 im Arrestbau des Konzentrationslagers Flossenbürg. In den 40 Einzelzellen saßen Häftlinge, die willkürlich gefoltert, mit Nahrungsentzug und Verdunkelung gepeinigt wurden. Im von Mauern umgebenen Hof des Gebäudes stand der Galgen, an dem man auch Dietrich Bonhoeffer erhängte. SS-Leute demontierten die Anlage, um den vorrückenden Amerikanern keine Anhaltspunkte zu geben.

Der Sohn eines Professors für Psychiatrie und Neurologie war mit sechs Jahren nach Berlin gekommen, wo er bis zur Promotion 1927 Evangelische Theologie studierte. Schon als Privatdozent und Studentenpfarrer warnte er vor den erstarkenden Nationalsozialisten. Obwohl er sich der Gefahr bewusst war, stellte er sich in den Dienst der Bekennenden Kirche, die die NS-Rassenideologie offen anprangerte. Ab 1935 leitete er das Finkenwalder Predigerseminar der Organisation. Nach dessen Schließung durch einen Erlass Heinrich Himmlers begann Bonhoeffers Untergrundarbeit. Er führte das Institut klandestin weiter, eine Berufung in die USA, die ihm das Leben gerettet hätte, lehnte er ab.

Bereits seit 1936 mit einem Lehrverbot für Hochschulen belegt, folgte 1940 das Rede- und Schreibverbot. In der Widerstandsgruppe um Admiral Canaris fungierte Bonhoeffer bis 1943 als Kontaktmann zu den westlichen Regierungen. Am 5. April des Jahres jedoch wurde er von der Gestapo verhaftet. Über verschiedene Gefängnisse und KZs führte sein Weg im Februar 1945 nach Flossenbürg. Dietrich Bonhoeffer ist einer der wenigen deutschen Theologen, die den Nazis die Stirn boten, einer der wenigen auch, die ihre religiösen Überzeugungen mit aller Konsequenz auf den Alltag übertrugen. Kein einziger Satz der von Bonhoeffer sehr geschätzten Bergpredigt war mit dem Vorgehen der Nazis vereinbar. Dass Bonhoeffer die christliche Friedensethik ernst nahm, bezahlte er mit dem Tod.

Und heute? Im Arresthof des KZs Flossenbürg hängt eine Gedenktafel. In seiner Geburtsstadt Breslau/Wroclaw und vor der Berliner Zionskirche stehen identische Bronzetorsos. Das Bonhoeffer-Haus Berlin ehrt ihn mit einer Ausstellung. | **Adresse** KZ Flossenbürg: Gedächtnisallee 5, 92696 Flossenbürg, www.gedenkstaette-flossenbuerg.de (März–Nov. täglich 9–17, Dez.–Feb. 9–16 Uhr); Bonhoeffer-Haus: Marienburger Allee 43, 14055 Berlin, www.bonhoeffer-haus-berlin.de (geöffnet nach Absprache, siehe Website) | **Bild oben** Dietrich Bonhoeffer im Jahr 1939 | **Bild unten** Der Arresthof des KZs Flossenbürg

12 Bertolt Brecht

Lyriker, Dramatiker, Erneuerer

Die »Hauspostille« schrieb er bereits ab seinem 18. Lebensjahr. Großartige Gedichte wie das vom »Jakob Apfelböck«, die »Ballade von den Seeräubern« oder die »Legende vom toten Soldaten« stehen damit ganz am Anfang seiner Dichterkarriere. Diverse Schaffensphasen und Kehrtwendungen, Erschütterungen und Triumphe sollten folgen.

Begonnen hat dieser kurvenreiche Weg in einer gutbürgerlichen Augsburger Angestelltenfamilie. Brecht erhielt Unterricht auf verschiedenen Instrumenten. Aber dem Schüler war bereits klar, womit er am allerbesten spielte: mit der Schreibfeder. Auch seinen Kriegsdienst ab 1917 absolvierte er als Schreiber, bevor er an der Universität München mit einigen großen Literaten seiner Zeit in Berührung kam – unter anderem Frank Wedekind und Lion Feuchtwanger. Sein Studium dümpelte dahin, stattdessen schrieb Brecht unentwegt. Den Durchbruch feierte er schließlich im September 1922 mit der Uraufführung von »Trommeln in der Nacht«. Von nun an übernahm Brecht gern auch selbst die Regie, seine Texte erschienen bei großen Verlagen, und man bedachte ihn mit ersten Preisen. Noch vor der Machtübernahme durch die Nazis erschienen Hauptwerke wie »Die Dreigroschenoper« (1928) und das marxistisch beeinflusste Lehrstück »Die Maßnahme« (1930). Das »Leben des Galilei« (1938), die »Mutter Courage« (1939) und der »Kaukasische Kreidekreis« (1944) entstanden hingegen durchweg im Exil, das Brecht über Dänemark und Finnland in die USA führte.

Brechts Vermächtnis, das sind nicht nur seine literarischen Werke und seine Bedeutung als politischer Schriftsteller und dramatischer Erneuerer. Zu seinem Erbe gehört auch, ganz materiell, das Theater am Schiffbauerdamm, an dem er ab 1954 gemeinsam mit seiner Frau Helene Weigel das Berliner Ensemble etablierte. Der kleine Platz davor ist heute nach ihm benannt, und mittig darauf steht, überlebensgroß, sein Denkmal.

Und heute? Brechts Stücke werden weiterhin auf großen Bühnen gespielt. Sein Augsburger Geburtshaus wird als Museum geführt, ebenso die Brecht-Weigel-Gedenkstätte in Berlin-Mitte. | **Adresse** Theater am Schiffbauerdamm: Bertolt-Brecht-Platz 1, 10117 Berlin, www.berliner-ensemble.de; Brecht-Weigel-Gedenkstätte: Chausseestraße 125, 10115 Berlin, www.adk.de (Di, Sa 10–15.30, Mi, Fr 10–11.30, Do 10–18.30, So 11–18 Uhr); Brechthaus: Auf dem Rain 7, 86152 Augsburg, www.augsburg.de (Di–So 10–17 Uhr) | **Bild oben** Brecht als junger Mann | **Bild unten** Das denkmalgeschützte Foyer des Theaters am Schiffbauerdamm

13 Johannes Bückler

Ein deutscher Robin Hood?

Dass dieser Johannes Bückler als eine Art deutscher Robin Hood gehandelt wird, verdankt er nicht zuletzt dem Fernsehen. Der von Curd Jürgens dargestellte Schinderhannes im gleichnamigen Film von 1958 hat mit der historischen Figur jedoch sehr wenig gemein. »Der (...) so romanenhaft außerordentlich und groß erschienene Räuberhauptmann ist aus der Nähe nur ein sehr gemeiner Dieb«, schrieb 1802 eine Frankfurter Zeitung. Und dafür, dass dieser Dieb je etwas den Reichen nahm, um es den Armen zu schenken, findet man keinen einzigen Beleg. Dennoch haftete dem Schinderhannes schon zu Lebzeiten ein legendärer, durchaus positiv besetzter Ruf an. Der Mann war ein Outlaw und Womanizer, und dieser Cocktail zog schon damals.

Geboren als Sohn eines Abdeckers (zuständig für Tierkadaver, auch »Schinder« genannt), zog er mit seiner Familie 1787 in den Hunsrück. Schon während seiner Lehrzeit hatte er gestohlen und unterschlagen. Ab 1797 dann war er als organisierter Verbrecher aktenkundig, zunächst als einfaches Mitglied, bald schon als Hauptmann einer Räuberbande. Was mit nächtlichen Viehdiebstählen begann, weitete sich auf Raubüberfälle und Erpressungen aus. Auch diverse Morde gehen auf das Konto seiner Truppe.

Zu legendären Räubern gehören stets auch spektakuläre Gefängnisausbrüche, und auch damit kann Bückler dienen. Im heutigen Schinderhannesturm zu Simmern etwa saß er ab dem 26. Februar 1799 ein. Eigentlich hätte er unter dem sogenannten »Angstloch« in einer stockdüsteren Zelle dahinvegetieren sollen, aber am 14. August gelang ihm unter ungeklärten Umständen die Flucht. Drei Jahre später nahm man ihn erneut und nun zum letzten Mal fest. Nach einjähriger Prozessvorbereitung verurteilte man ihn samt 19 Genossen im französisch besetzten Mainz zum Tod durch die Guillotine. Mehrere tausend Schaulustige verfolgten die Massenhinrichtung.

Und heute? Das Leben des Schinderhannes wurde mehrfach für Theater und Film bearbeitet. Sein Geburtshaus in Miehlen dient als Gemeindebibliothek. Zwischen Pferdsfeld und Seesbach im Hunsrück liegt die Schinderhanneshöhle, in der er sich zeitweilig versteckt haben soll. | **Adresse** Museum im Schinderhannes-Turm: Turmgasse, 55469 Simmern (Di–Fr 10–13 und 14–17, Sa, So 14–17 Uhr) | **Bild oben** Bückler-Gouache von Karl Matthias Ernst, erstellt im Gefängnis zu Mainz | **Bild unten** Der Schinderhannes-Turm in Simmern

14 Wilhelm Busch

»Dieses war der erste Streich ...«

Der Schöpfer von Max und Moritz wurde 1832 im niedersächsischen Wiedensahl geboren. Sein Elternhaus, in dem er die ersten neun Lebensjahre verbrachte, dient heute als Museum. Während im Parterre sein Kinderbett zu besichtigen ist, blickt man durch eine Glasplatte in den Gewölbekeller. Dort mag, so besagt eine Hinweistafel, einst jenes Sauerkrautfass gestanden haben, das später der Witwe Bolte zum Verhängnis wurde: Während sie unten naschte, stahlen Max und Moritz ihr oben die gebratenen Hühner.

Schon zu Lebzeiten war Busch ein ausgesprochen berühmter Zeitgenosse, wenn auch kein unumstrittener. Seine durchaus respektablen Landschaftsbilder wusste kaum einer seiner Zeitgenossen zu würdigen, stattdessen stand das zeichnerische Werk im Vordergrund. Den einen waren seine Verse nicht fein genug, die anderen mokierten sich über seine frech-frivolen Figuren. Bildergeschichten wie die der »Frommen Helene« (1872) mit ihrer Kritik an Frömmelei und Spießermoral fanden nur unter Schwierigkeiten einen Verleger.

Busch war nicht nur ein Meister der Satire, sondern zudem ein Pionier des (deutschen) Comicwesens. Erich Ohser alias e.o.plauen (Vater und Sohn), Rolf Kauka (Fix und Foxi) oder auch der dezidiert politische 68er Gerhard Seyfried (Freakadellen und Bulletten) stehen in Buschs Tradition. Als er starb, hatten sich seine Geschichten von »Max und Moritz« fast eine halbe Million Mal verkauft. Auf die erste Auflage von 1865 folgten viele weitere, ebenso zahlreiche Übersetzungen. Heutzutage bekommt man die Streiche der beiden »Lausbuben« auch als russische, lateinische oder altgriechische Ausgabe. Einige seiner prägnanten Zweizeiler werden bis heute gern zitiert, weil sie tiefe, nicht ganz leicht zu ertragende Wahrheiten enthalten. Nehmen wir nur einmal diesen hier: »Das Gute – dieser Satz steht fest – / Ist stets das Böse, was man läßt!«

Und heute? Sein Grab und ein weiteres Museum findet man in Mechtshausen.|
Adresse Museum Wiedensahl: Hauptstraße 68, 31719 Wiedensahl, www.wilhelm-
busch-geburtshaus.de (März–Okt. Di–Fr 10–12 und 13–17, Sa, So 10–17,
Nov.–Dez. Di–So 11–16, Jan.–Feb. Fr–So 11–16 Uhr); Museum Mechtshausen:
Pastor-Nöldeke-Weg 7, 38723 Mechtshausen, www.wilhelm-busch-haus.de
(März–Okt. Di–So 15–17, Nov.–Feb. Sa, So 14–16 Uhr) | **Bild oben** Wilhelm
Busch 1860 | **Bild unten** Das Busch-Museum Wiedensahl

15 Johann Friedrich Cotta

Der »Napoleon des deutschen Buchhandels«

Die Liste seiner Autoren ist ebenso erlesen wie schier endlos: Ob Goethe, Schiller, Kleist oder Droste-Hülshoff, ob Hölderlin, Hebel, Herder oder Humboldt – alle ließen ihre Bücher in Johann Friedrich Cottas Verlag drucken. Den engsten Kontakt hatte der »Napoleon des deutschen Buchhandels«, wie der Philologe Karl August Böttiger (1760–1835) ihn nannte, zu Friedrich Schiller. Schon die Bücher seines Vaters waren von Cotta herausgegeben worden, der kleine Friedrich soll in der Druckerei herumgekrabbelt sein. Ab 1795 dann wurde dort Schillers Monatszeitschrift »Die Horen« hergestellt – ein früher Markstein der Weimarer Klassik.

Als Cotta 1787 den väterlichen Verlag übernahm, stand das Unternehmen am Rand des Ruins. 23 war der studierte Jurist und Mathematiker damals, und binnen weniger Jahre sollte er aus dem dahinvegetierenden Regionalverlag einen bundesweit agierenden Erfolgsbetrieb machen. Cotta versuchte, die bislang mit Füßen getretenen Urheber- und Verlegerrechte zu stärken. Er war der Erste, der seine Autoren auch an Nachauflagen beteiligte, Stars wie Goethe und Schiller durften ihre Honorare zeitweise frei festlegen. Als Verleger wie als Politiker engagierte sich Cotta gegen Zensur und Schutzzölle. Zudem stellte er – ganz wie heutige Publikumsverlage – den Betrieb auf ein breites Podest. So wurde er nicht nur zum Verleger der hehren Geistesgrößen seiner Ära, sondern auch Herausgeber populärer Taschenbücher und Zeitschriften. Besonderes Augenmerk galt – damals wie heute – der gebildeten Damenwelt.

Cottas unternehmerisches Agieren stand stets im Spannungsfeld zwischen liberalem Intellekt und kapitalistisch orientiertem Kaufmannstum. Keine einfache Stellung, aber selbst kritische Geister wie Heinrich Heine zollten dem umtriebigsten Vertreter seiner Zunft Respekt: »Das war ein Mann, der hatte die Hand über die ganze Welt«, schrieb Heine 1852 an Cottas Sohn Georg.

Und heute? Der Verlag existiert noch immer, seit der Übernahme 1977 unter dem Namen Klett-Cotta. Stuttgart ehrt den Verleger mit dem jährlich vergebenen Johann-Friedrich-Cotta-Literatur- und Übersetzerpreis. An seinem Wohnhaus in Tübingen (bis zum Umzug 1810 nach Stuttgart) hängt eine Gedenktafel. | **Adresse** Cotta-Haus Tübingen: Münzgasse 15, 72070 Tübingen, www.tuebingen-info.de (nur von außen zu besichtigen) | **Bild oben** Porträt von Karl Jakob Theodor Leybold (um 1830) | **Bild unten** Das Cotta-Haus in Tübingen

16 Lucas Cranach der Ältere

Wohlhabend, einflussreich, zukunftsweisend

Der Cranach-Hof an der Wittenberger Schlossstraße präsentierte sich zu DDR-Zeiten arg heruntergekommen, erstrahlt aber heute in neu-altem Glanz. Rund 45 Jahre lang lebte Lucas Cranach in der Lutherstadt, und die meiste Zeit davon in jenem baulichen Ensemble, das er nach eigenen Vorstellungen umgestalten ließ. Im Innenhof zwischen seiner ehemaligen Apotheke, der Malwerkstatt und dem Wohnhaus begrüßt seit 2005 ein sitzender Bronze-Cranach die Besucher. In den Händen hält er einen Zeichenblock, und wen malt er? – Martin Luther (siehe Seite 152) natürlich.

Der Großkünstler hat den großen Reformator mehrfach porträtiert, er stand ihm sowohl geistig als auch freundschaftlich nahe, unter anderem als Trauzeuge. Nach langen Lehr- und Wanderjahren war der in Oberfranken geborene Cranach 1505 als Hofmaler nach Wittenberg berufen worden. Wie für die Reformation, so setzte er sich zeitlebens auch für das städtische Gemeinwesen ein. Als einer der reichsten Männer der Stadt amtierte er mehrfach als Bürgermeister. Vor allem jedoch kennt ihn die Nachwelt als einen der bedeutendsten Maler der Renaissance, den man zusammen mit Albrecht Dürer (siehe Seite 52) als Revolutionär des künstlerischen Menschenbilds feiert. Aus den bis dato gottergebenen Kreaturen mit schablonenhaften Gesichtern werden bei Cranach unverwechselbare Individuen, die er mit beinahe fotografischer Schärfe auf die Leinwand bringt. Seine berühmten Luther-Halbseitenprofile und die schlanken Frauenfiguren wirken auch heute noch erstaunlich modern.

Dass Cranach auch in anderer Hinsicht seiner Zeit voraus war, deutet die Inschrift seines Weimarer Grabes an: »Der schnellste Maler« wird er dort genannt. In Cranachs Malwerkstatt arbeiteten neben seinen Söhnen Hans und Lucas (der Jüngere!) diverse weitere Gehilfen, die ihre Auftragsarbeiten mit der Effizienz einer prä-industriellen Kunstmanufaktur erledigten.

Und heute? Eine bedeutende Sammlung von Cranach-Werken findet man im Schloss-museum Weimar. Auch die Cranach-Häuser in Wittenberg (Markt 4) und Weimar (Markt 11/12, wo er 1553 starb) erinnern an den Maler. | **Adresse** Cranach-Hof: Schlossstraße 1, 06886 Lutherstadt Wittenberg (stets geöffnet); Schlossmuseum: Burgplatz 4, 99423 Weimar (30. Okt.–23. März Di–So 9.30–16, 24. März–29. Okt. 9.30–18 Uhr) | **Bild oben** Lucas Cranach, gemalt von ihm selbst oder von Lucas Cranach dem Jüngeren (1550) | **Bild unten** Der Wittenberger Cranach-Hof

17 Adolf Dassler

Der mit den drei Streifen

Herzogenaurach ist eine 20.000-Einwohner-Ortschaft in Mittelfranken. Die Altstadt besticht durch zahlreiche Fachwerkhäuser, die die Atmosphäre umso kleinstädtischer färben. Und dennoch liegt an der Aurach ein Nabel der Welt, genauer: der Sportwelt. Denn mit Puma und dem weitaus größeren Konkurrenten Adidas findet man hier gleich zwei Global Player des Sportartikelmarktes. Und gegründet wurden sie ausgerechnet von zwei verfeindeten Brüdern: Rudolf (geb. 1898) und Adolf Dassler.

Schon in der Weimarer Republik führten die beiden die Schuhfabrik »Gebrüder Dassler«, die sich später ganz in den Dienst der Nazis stellte. Mit Rudolfs Rückkehr aus der Kriegsgefangenschaft 1946 begann der unerbittliche Bruderzwist, der auch vor Lügen und Denunziationen nicht haltmachte. Das Unternehmen wurde aufgespalten, Puma und Adidas entstanden. Insgesamt über 700 Patente gehen auf Adolf Dasslers Konto. Seinen ersten Volltreffer landete er mit der Ausstattung des Fußball-Weltmeisterteams von 1954. Fritz Walter & Co. trugen jene von Dassler entwickelten Schraubstollen, die der Mannschaft eine große Stütze werden sollten. Den Schritt auf den Weltmarkt machte Adidas mit der Gründung eines französischen Ablegers 1959. Engagements in weiteren Ländern folgten, und die Produktpalette weitete sich auf alle erdenklichen Artikel rund um den Breiten- und Spitzensport aus. War man in den 1970er Jahren noch einsamer Branchenführer, muss man sich inzwischen mit Rang 2 hinter Nike begnügen. Puma folgt dahinter auf den Plätzen.

Längst befinden sich die Hauptanteile beider Marken nicht mehr in Familienbesitz. Aber wahrscheinlich streiten sich Rudi und Adi noch immer irgendwo im Jenseits um die Vorherrschaft. Bis zu Rudolfs Tod 1974 sollen die Brüder, obschon ihre Firmensitze nur ein paar hundert Meter entfernt voneinander lagen, kein Wort miteinander gesprochen haben.

Und heute? Auf dem Gelände des Adi-Dassler-Stadions in Herzogenaurach findet man seit 2006 eine Skulptur von Adolf Dassler. Adidas und Puma unterhalten im Ort große Fabrikverkaufshallen. | Adresse Adi-Dassler-Stadion: 91074 Herzogenaurach | Bild oben Adi Dassler mit Stollenschuh | Bild unten Adidas in Herzogenaurach

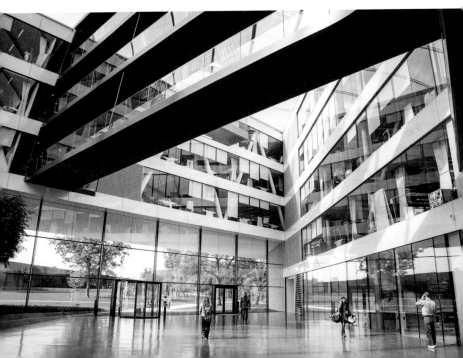

18 Der Deutsche Michel

Tapferer Trottel, tumber Titan

Der Michel steht für Deutschland wie die Marianne für Frankreich oder Uncle Sam für die USA. Schon die frühesten bildlichen Darstellungen ab dem 19. Jahrhundert zeigen ihn mit einer langen, schlaff herunterhängenden Zipfelmütze – ganz ähnlich jener Kopfbedeckung, die Carl Spitzwegs »Armer Poet« (1839) in seiner bescheidenen Bettstatt trägt. Die missverständliche, zum Teil gegensätzliche Deutung der Figur ist damals bereits in vollem Gange.

Eine erste schriftliche Erwähnung des »Deutschen Michel« findet sich in einem Sprichwörterbuch von 1541. Da ist der Michel ein Tölpel vor dem Herrn. Im selben Jahrhundert jedoch wird, auf der Stromburg im Hunsrück, Michael Elias von Obentraut (1574–1625) geboren. Der Reitergeneral des Dreißigjährigen Krieges gilt bis heute als Vorbild für die Nationalfigur. 1625 traf er im Dörfchen Seelze bei Hannover mit seinen Truppen auf eine Übermacht des kaiserlichen Oberbefehlshabers Tilly. Vom Angriff überrascht, stürzte sich Obentraut angeblich ohne Helm und Stiefel in die Schlacht – und fiel. Schon bald darauf soll man ihn zum »Michael Germanicus« erklärt haben.

Der tapfere Reitergeneral machte aus dem Trottel einen Titanen, jedoch nicht auf Dauer. Die Karikaturisten des Vormärz zeichnen den Michel als deutschen Biedermann, als bildungsfernen Simpel. Und während er im Deutschen Reich ab 1871 noch einmal zum Helden mutierte, der die deutsche Scholle verteidigt, hatte er bei den Nazis ausgedient. »Das Attribut der Schlafmütze, Zipfelmütze passt nicht mehr zu der erwachten jungen Generation, die kühn und selbstbewusst ihren Weg geht«, dekretierte Propagandaminister Goebbels.

Der Deutsche Michel: eine widersprüchliche Ikone, die allmählich zu verblassen scheint. Aber wer weiß! Immerhin gilt Spitzwegs Gemälde laut Umfragen auch im 21. Jahrhundert noch als zweitliebstes Bild der Deutschen – direkt nach der Mona Lisa.

Und heute? Die Stromburg beherbergt zwei Restaurants des Fernsehkochs Johann Lafer. In Seelze steht ein Obentraut-Denkmal. Spitzwegs »Armer Poet« hängt in der Neuen Pinakothek München. | **Adresse** Denkmal: Hannoversche Straße (gegenüber Nummer 41), 30926 Seelze, www.seelze.de; Stromburg: Schlossberg 1, 55442 Stromberg, www.stromburg.com; Neue Pinakothek: Barer Straße 29, 80799 München, www.pinakothek.de (Mo, Do–So 10–18, Mi 10–20 Uhr) | **Bild oben** Hans-Michael Elias von Obentraut (1662) | **Bild unten** Obentraut-Denkmal in Seelze

19 Marlene Dietrich

Eine Stilikone

Die Hauptrolle in Josef von Sternbergs »Blauem Engel« hatte sie 1929 per Zufall bekommen. Aber die Verfilmung des Heinrich-Mann-Romans sollte ihr zu einer internationalen Karriere verhelfen, wie sie zuvor kein deutscher Schauspieler gemacht hatte. Schon im Folgejahr stand sie beim US-Giganten Paramount unter Vertrag und drehte in Hollywood unter anderem mit Gary Cooper: »Marokko«, erst ihr zweiter Tonfilm, brachte ihr sofort eine Oscar-Nominierung ein.

Marlene Dietrich, Tochter eines Polizeileutnants, hatte früh Geige und Klavier gelernt. Außerdem sprach sie, damals nicht selbstverständlich, Englisch und Französisch. In Varietés und ab 1922 auch am Theater schulte sie ihre Schauspielkunst. Später, als Hollywoodstar, wurde sie auch von den Nazis umgarnt. Aber Marlene lehnte nicht nur sämtliche Angebote Joseph Goebbels' ab, sie wurde zur aktiven Antifaschistin. 1939 nahm sie die amerikanische Staatsbürgerschaft an und betätigte sich bis 1945 als Truppenunterhalterin und Flüchtlingshelferin. Auch noch lange nach dem Krieg nahmen ihr das viele Deutsche übel. Der Karriere jedoch tat das keinen Abbruch, Filme und zunehmend Chansonabende blieben ihr Metier.

Die Frau mit den langen Beinen und den großen Augen war – und ist – eine Stilikone. Ihr rauchiges Timbre und die von ihr bevorzugten Hosenanzüge wurden zum Symbol der emanzipierten, ihre Erotik selbstbewusst präsentierenden Frau. Vielleicht war ihre geradezu überirdische Ausstrahlung auch der Grund dafür, dass Marlene – zumindest in ihren eigenen Augen – nicht altern durfte. Alkoholprobleme trugen dazu bei, dass sich die Diva ab 1976 vollständig aus der Öffentlichkeit zurückzog. Fotos und Filmaufnahmen gab es keine mehr, Besucher wurden nur spärlich empfangen. In ihren letzten elf Jahren, sagt man, habe »die Dietrich« ihr Bett in der Avenue Montaigne 12 nicht mehr verlassen.

Und heute? Die Deutsche Kinemathek präsentiert Marlene Dietrich auf 300 Quadratmetern. Am 12. Februar 2010 widmete man ihr den ersten Stern auf dem Boulevard der Stars in Berlin. | **Adresse** Boulevard der Stars: Potsdamer Platz 1, 10785 Berlin, www.boulevard-der-stars-berlin.de; Deutsche Kinemathek – Museum für Film und Fernsehen: Potsdamer Straße 2, 10785 Berlin, www.deutsche-kinemathek.de (Di, Mi, Fr–So 10–18, Do 10–20 Uhr) | **Bild oben** Dietrich-Porträt aus den 1920ern | **Bild unten** Der Boulevard der Stars in Berlin

20_ Annette von Droste-Hülshoff

Schneckenhaus und Judenbuche

Im Droste-Museum auf der Burg Hülshoff hat man auf Beschriftungen verzichtet – eine schöne Idee, so wirken die Räume authentischer. Es scheint, als sei Annette nur mal kurz abwesend, ein Gedicht schreiben oder Eier holen. Die »Droste«, wie man sie auch nennt, wurde 1797 auf der Burg in eine feudal-katholische Familie hineingeboren. Nach dem Tod ihres Vaters 1826 zog sie samt Schwester und Mutter auf den Witwensitz der Familie ins unferne Haus Rüschhaus. Dort entstand auch ihr bekanntestes Werk, die auf einer wahren Begebenheit basierende Novelle »Die Judenbuche«.

Ihr Arbeitszimmer in dem mondänen Landsitz hatte sie – wegen der vergleichsweise niedrigen Decke – »Schneckenhaus« getauft. Und so eindrucksvoll Droste-Hülshoff die dörfliche Enge skizziert, so begrenzt war auch ihr eigener Wirkungskreis. Ihre kränkliche Natur verhinderte große Sprünge, jenseits der Ausflüge zur verheirateten Schwester Jenny nach Meersburg blieb sie der westfälischen Scholle treu. Ihre wenigen Beziehungen zu Männern scheiterten oder wurden durch Intrigen zerstört.

Während sie heute als eine der berühmtesten deutschen Schriftstellerinnen gilt, war ihr Werk zu Lebzeiten fast völlig unbekannt. Auch die Judenbuche erregte zunächst kein großes Aufsehen. Aber Qualität setzt sich durch, wenn auch manchmal auf Umwegen. Drostes Mischung aus düster-fahlem Kriminalroman und bitterrealistischer Milieustudie fesselt ihre Leser bis heute. Naturmystik und ein journalistisch-nüchterner Stil, Armut und Hoffart sowie das Figurenkabinett um den Judenmörder Friedrich Mergel bilden die Ingredienzen einer gleichnishaften Erzählung. Nach Vorarbeiten bereits in den 1830er Jahren erschien die Judenbuche 1842. Ein Jahr später formulierte Annette von Droste-Hülshoff, wie sie es mit dem Nachruhm hielt: »Ich mag und will jetzt nicht berühmt werden, aber nach hundert Jahren möcht ich gelesen werden.«

Und heute? Burg Hülshoff und das Haus Rüschhaus dienen als Droste-Museum. |
Adresse Burg Hülshoff: Schonebeck 6, 48329 Havixbeck, www.burg-huelshoff.de
(April–Okt. Mo–So 11–18.30, 18.–31. März und Nov. Mi–So 12–17 Uhr); Haus
Rüschhaus: Am Rüschhaus 81, 48161 Münster, www.haus-rueschhaus.de (Führungen
Mai–Sept. Di–So 11–16, April und Okt. Di–Fr 12–15, Sa, So 11–15 Uhr) | **Bild oben**
Droste-Hülshoff-Porträt von Johann Joseph Sprick (1838) | **Bild unten** Burg Hülshoff

21 Konrad Duden

Drei Dialekte, eine Sprache

In Bad Hersfeld liegt er begraben, und dort steht auch sein Denkmal. Angeregt diskutiert der Bronze-Duden mit einem entsprechend aufbereiteten Konrad Zuse (siehe Seite 230), der ebenfalls zeitweilig hier in Hessen lebte: zwei große Systematisierer, die nicht nur wegen des gemeinsamen Vornamens gut zueinander gepasst hätten.

Konrad Duden hatte zahlreiche Umzüge hinter sich, bevor er 1876 in Bad Hersfeld landete und dort fast 30 Jahre das Königliche Gymnasium leitete. Bereits einige Jahre zuvor hatte er damit begonnen, Rechtschreibregeln aufzustellen. Der Hintergrund: An seiner Schleizer Schule schrieben die Schüler in drei verschiedenen Dialekten, die man als Lehrer beherrschen musste, um zu einer fairen Beurteilung zu kommen. Die Vereinheitlichung erleichterte aber nicht nur die Arbeit der Pädagogen, sondern auch die der Schüler. Nicht zuletzt verhalf sie den Kindern aus bildungsfernen Familien zu einem leichteren Einstieg. Pflegte bis dato jedes Bundesland, jede Behörde und jeder Verlag seine eigene Orthografie, so bestand nun die Chance auf eine bessere Verständigung.

Der Durchbruch gelang Duden mit seinem 1880 erschienenen Hauptwerk, dem »Vollständigen orthographischen Wörterbuch der deutschen Sprache«. Bereits seit Jahren gab es Bestrebungen, die Rechtschreibung zu fixieren, aber erst Dudens Arbeit schuf eine solide Grundlage dafür. 1902 erhob der Bundesrat seine »Regeln für die deutsche Rechtschreibung nebst Wörterverzeichnis« zum verbindlichen Kodex, Österreich-Ungarn und die Schweiz schlossen sich im selben Jahr an. Dem Mann ist etwas gelungen, von dem PR-Strategen und Markenentwickler gern träumen: Sein Name wurde zum »Deonym«: Wie sich Tempo, Tesa, Uhu, Pampers oder Aspirin vom Markennamen zur Bezeichnung einer ganzen Produktgruppe entwickelten, so steht auch der »Duden« heute für das Wörterbuch an sich.

Und heute? Seine Bad Hersfelder Schule ist inzwischen nach ihm benannt. Im Wohnhaus nebenan wurde ein Konrad-Duden-Museum eingerichtet. Der »Duden« erlebte seit 1880 über 25 Auflagen. | **Adresse** Konrad-Duden-Museum: Neumarkt 3, 36251 Bad Hersfeld, www.badhersfeld-tourismus.de (So 15–17 Uhr) | **Bild oben** Konrad Duden (1880er Jahre) | **Bild unten** Das Duden-Museum in Bad Hersfeld

22 Albrecht Dürer

Berühmter Maler, findiger Künstler

Dürers Vater war Goldschmied und ging davon aus, dass sein Sohn in seine Fußstapfen treten werde. Aber der 16-jährige Albrecht brach die Lehre ab und wechselte in die seinerzeit berühmte Malerwerkstatt des Michael Wolgemut. Sein liebevolles Porträt des Lehrers hängt heute im Germanischen Nationalmuseum in Nürnberg. Schnell machte sich der junge Mann einen Namen als Grafiker und Buchillustrator – damals ein ganz neuer Beruf. Ab 1503 führte Dürer eine eigene Werkstatt, die er sechs Jahre später in das frisch erworbene Haus an der heutigen Albrecht-Dürer-Straße verlegte. Einmal anerkannt als Künstler, wurde er auch in Gesellschaft und Politik zum angesehenen Mann. 1518 vertrat er Nürnberg auf dem Reichstag in Augsburg, und auch an der Krönung Karls V. in Aachen 1520 nahm er teil.

Jenseits seiner Kunstfertigkeit gilt Albrecht Dürer als ein früher Meister der Selbstvermarktung. Mit ihm wurde der Maler vom mehr oder weniger anonymen Handwerker zur Künstlerpersönlichkeit. Seine nie uneitlen Selbstbildnisse und die in hoher Auflage produzierten Druckgrafiken mehrten seinen Ruhm und Reichtum. Mit seinem unverwechselbaren Monogramm, dem D unterm turmgroßen A, wurde Dürer zum ersten Künstler, der seine Werke systematisch mit einem Monogramm signierte. Indem er den Kaiser erfolgreich um Schutz vor Raubkopien bat, stieß er zudem die bis heute nicht beendete Debatte um Urheberrecht und künstlerisches Eigentum an. Vor diesem Hintergrund umso origineller: Schon im 17. Jahrhundert begann die Stadt Nürnberg, statt der kaum bezahlbaren Originale Kopien der Hauptwerke ihres berühmtesten Sohnes zu kaufen. Das Ergebnis dieser klugen Idee ist heutzutage im Dürer-Haus zu bewundern: Wem der Madrider Prado zu weit ist, um den 1507 entstandenen Doppelakt von Adam und Eva zu betrachten, der findet hier eine originalgetreue Nachbildung von Hans Otto Poppelreuther aus dem Jahr 1928.

Und heute? Dürers Bilder hängen in den großen Museen der Welt, unter anderem im Germanischen Nationalmuseum. Denkmäler stehen unter anderem auf dem Albrecht-Dürer-Platz in Nürnberg und an der Sempergalerie in Dresden. | **Adresse** Dürer-Haus: Albrecht-Dürer-Straße 39, 90403 Nürnberg, www.museen-nuernberg.de (Di, Mi, Fr 10–17, Do 10–20, Sa, So 10–18, Juli–Sept. auch Mo 10–17 Uhr); Germanisches Nationalmuseum: Kartäusergasse 1, 90402 Nürnberg, www.gnm.de (Di–So 10–18, Mi 10–21 Uhr) | **Bild oben** Dürer-Selbstbildnis von 1498 als Kopie von Francisco Nuñez Losada (1889–1973) | **Bild unten** Dürer-Saal im Deutschen Nationalmuseum

23 Friedrich Ebert

Zwischen Kaiserreich und Republik

Falls der 29-jährige Friedrich Ebert zur Jahrhundertwende Bilanz gezogen hat, war er sicher nicht unzufrieden. Ende 1900 war aus dem Streuner und Gelegenheitsarbeiter ein vierfacher Vater und Vorsitzender der Bremer SPD geworden. Nach sechs Jahren hatte er zudem den ungeliebten Job als Kneipier gegen eine Anstellung als Arbeitersekretär der Bremer Gewerkschaften eintauschen können. 14 Jahre lebte der Sohn eines Schneiders aus der engen Heidelberger Pfaffengasse in der Hansestadt, bevor er in die Parteizentrale nach Berlin wechselte. 1913 wählte man ihn zum gesamtdeutschen Vorsitzenden der Sozialdemokraten.

Ein Jahr später schon schrieb Ebert mit an der Weltgeschichte. In Sarajewo war der österreichische Thronfolger ermordet worden, der Erste Weltkrieg bahnte sich an. Ebert und große Teile der SPD bewilligten die geforderten Kriegskredite. Plötzlich war das »Vaterland« dann doch wichtiger als die internationale Solidarität der Arbeiterklasse. Wie jener Beschluss, so ging auch Eberts politisch größter Moment vom Berliner Reichstag aus. Mitten in die Revolution hinein rief dort der Sozialdemokrat Philipp Scheidemann die Republik aus – und erklärte Friedrich Ebert ungefragt zum neuen Reichskanzler. Wilhelm II. war im holländischen Exil, der Krieg verloren und Deutschland am Boden. Vieles wäre möglich gewesen in dieser Phase, aber Ebert ließ alle revolutionären Umtriebe bekämpfen und steuerte – mit Weitblick, sagen die einen; reaktionär, meinen die anderen – die Wahlen im Januar 1919 an. Am 21. August des Jahres wurde er als Reichspräsident vereidigt.

Der Druck des Versailler Vertrages, instabile Machtverhältnisse und die zunehmende Radikalisierung machten Ebert das Leben schwer. Wegen seiner Rolle in den Massenstreiks vom Januar 1918 erklärte ihn ein Gericht 1924 sogar noch zum Landesverräter. Der Prozess verhinderte die frühzeitige Behandlung einer Blinddarmentzündung, an der er schließlich im Februar 1925 starb.

Und heute? Der Reichstag in Berlin ist wieder Sitz des deutschen Parlaments. Eberts Geburtshaus in Heidelberg fungiert als Museum. Auch international einflussreich ist die SPD-nahe Friedrich-Ebert-Stiftung in Bonn. | **Adresse** Friedrich-Ebert-Haus: Pfaffengasse 18, 69117 Heidelberg, www.ebert-gedenkstaette.de (Di, Mi, Fr–So 10–18, Do 10–20 Uhr) | **Bild oben** Ebert-Porträt von Lovis Corinth (1924) | **Bild unten** Das Friedrich-Ebert-Haus in Heidelberg

24 Meister Eckhart
Mystik und Moderne

Er hat bedenkenswerte, auch 700 Jahre später noch einleuchtende Aphorismen geschrieben. Dass »immer ein Esel einen andern zu schätzen weiß«, stammt genauso von ihm wie die folgende Erkenntnis: »Immer ist die wichtigste Stunde die gegenwärtige; immer ist der wichtigste Mensch, der dir gerade gegenübersteht; immer ist die wichtigste Tat die Liebe.«

Eckhart entstammte einem thüringischen Rittergeschlecht und trat 1275 in Erfurt den Dominikanern bei. Die Erfurter Predigerkirche mit dem angeschlossenen Kloster sollte später zu seiner Hauptwirkungsstätte werden. Vielen gilt Eckhart bis heute vor allem als »Mystiker« – eine ausgesprochen mystische Zuschreibung. Denn wer sich in seine Texte wirklich vertieft, wird hier eher einen spirituellen, allem Materiellen abgeneigten Weltzugang entdecken. Und je nach persönlichem Hintergrund kommen auch Buddhisten und Esoteriker bei Eckhart auf ihre Kosten. Nicht zuletzt gebührt Eckhart das Verdienst, auch die ungebildeten Volksmassen in den religiösen Diskurs integriert zu haben. Viele seiner Schriften verfasste er auf Deutsch statt Latein, ausdrücklich ging es ihm dabei um die »ungelehrten Leute«. Wer nichts weiß, benötigt Belehrung – so seine zwingende Logik.

Stets war der Meister sehr strikt, oft geradezu rüde Andersdenkenden gegenüber. Seine Überzeugungen vertrat er ohne Angst vor möglichen Folgen. 1325 wurde er in Köln der Häresie bezichtigt, also einer falschen, gotteslästerlichen Glaubensauffassung. Der Prozess schleppte sich dahin und kam zwei Jahre später vor den vatikanischen Stuhl, damals in Avignon. Um die Jahreswende 1327/28 herum starb Eckhart, aber die päpstliche Kommission ermittelte weiter. Posthum wurden 28 isolierte Sätze seiner Schriften als verdächtig eingestuft. Eckhart sei vom Teufel verführt worden, dekretierte der oberste Hirte. Totzukriegen waren des Meisters Texte jedoch – bis heute – nicht.

Und heute? Der Hohe Chor und der Westflügel der Erfurter Predigerkirche stammen noch aus Eckharts Zeit. Im möglichen Geburtsort Tambach-Dietharz wurde ein Meister-Eckhart-Rundweg eingerichtet (www.tambach-dietharz.de). | Adresse Predigerkirche: Predigerstraße 5, 99084 Erfurt, www.predigerkirche.de (Di–Sa 11–16, So 12–16 Uhr) | Bild oben Eckhart-Büste von Helga Viebig-Kruck in Tambach-Dietharz (2004) | Bild unten Eckharts Platz als Prior im Chorgestühl der Predigerkirche

25 — Paul Ehrlich
Der die Geißel Gottes vertrieb

Die experimentelle Medizin hatte Ehrlich nach seiner Promotion 1878 an der Berliner Charité kennengelernt. Der nächste wichtige Schritt war 1891 die Berufung an das Institut für Infektionskrankheiten durch dessen Gründer Robert Koch (siehe Seite 136). Eine großzügige Spende ermöglichte ihm schließlich 1906 die Eröffnung des Georg-Speyer-Hauses in Frankfurt, das sich bis heute der Erforschung und Bekämpfung von Tumoren und Infektionen widmet. Hier erfand Ehrlich – als Wort und Methode – die Chemotherapie, die aber zunächst auf einem ganz anderen Gebiet als dem Krebs Erfolge zeitigen sollte. 1909, ein Jahr nach der Verleihung des Medizin-Nobelpreises, experimentierte Ehrlich mit Syphilis-infizierten Ratten. Sein daraus entwickeltes Mittel Salvarsan wurde zum Markstein einer neuartigen Bekämpfung von Infektionskrankheiten. Die »Geißel Gottes«, wie die Syphilis über Jahrhunderte hieß, war plötzlich kurierbar!

Auch jenseits der eigentlichen Laborarbeit war Ehrlich ein für seine Zeit erstaunlicher Mensch. Im Institut setzte er sich für eine Lohnerhöhung der gegenüber ihren männlichen Kollegen lächerlich unterbezahlten Frauen ein. Und als man ihm einst – unter der Bedingung, sich taufen zu lassen – die Erhebung in den Adelsstand anbot, lehnte er dies sehr gelassen ab: »Ich bin Jude und weiter nichts… Wir widmen unser Leben der Wissenschaft, aber nicht der Jagd nach Titeln.« Antisemitische und sonstige Neider verleideten Paul Ehrlich seinen Lebensabend. Er starb, von Prozessen und Krankheiten geschwächt, mit 61 Jahren an einem Schlaganfall.

Sein Denkmal auf dem Frankfurter Westendplatz zeigt unter anderem den syphiliskranken Friedrich Nietzsche (siehe Seite 174), im Moment seiner Umnachtung ein Pferd küssend. Sympathischerweise offeriert dieser aus rosigem Forellenmarmor gefertigte Block sogar einen Sitzplatz für müde Besucher.

Und heute? Das Bundesinstitut für Impfstoffe und biomedizinische Arzneimittel in Langen ist nach Paul Ehrlich benannt. Seit 2004 steht auch in Strehlen/Strzelin ein Denkmal. Begraben liegt er auf dem Jüdischen Friedhof an der Rat-Beil-Straße in Frankfurt. | Adresse Denkmal Frankfurt: Westendplatz, 60325 Frankfurt/M.; Ehrlich-Museum Georg-Speyer-Haus: Paul-Ehrlich-Straße 42–44, 60596 Frankfurt, www.georg-speyer-haus.de (Zutritt nur auf Anfrage, siehe Website) | Bild oben Paul Ehrlich (undatiert) | Bild unten Ehrlichs Denkmal in Frankfurt

26 Ernst Arthur Eichengrün

Der Erfinder des Aspirins?

Wer das Wundermittel Aspirin letztlich auf die Welt brachte, wird wohl nie geklärt werden. Die Bayer AG behauptet, es sei der Chemiker Felix Hoffmann gewesen. Der schottische Medizinhistoriker Walter Sneader hingegen, der 1999 in den Archiven der Firma forschen durfte, sieht Ernst Arthur Eichengrün als die treibende Kraft. Der wahrscheinlichste Ablauf war dieser:

Schon die alten Germanen nutzten die aus der Weidenrinde gewonnene Salicylsäure als Schmerzmittel. Weil sie äußerst unangenehm schmeckte, beauftragte im Jahr 1897 der Bayer-Laborleiter Eichengrün seinen Stab mit der Entwicklung einer Alternative. Auf der Basis von Eichengrüns Vorarbeiten gelang dann Hoffmann als Erstem die Synthetisierung von reinem ASS: Acetylsalicylsäure. Gegen massive Widerstände aus dem eigenen, damals noch in Wuppertal ansässigen Haus trieb Eichengrün die Verbreitung des neuen Wirkstoffes voran, der schließlich Anfang 1899 patentiert wurde. Der Laborchef war es auch, der den Namen »Aspirin« erfand. Im Zuge der nationalsozialistischen Machtübernahme jedoch wurde Hoffmann zum alleinigen Erfinder erklärt und Eichengrün aus den Geschichtsbüchern getilgt.

Geboren als Sohn eines jüdischen Tuchhändlers, hatte Eichengrün in den 1890er Jahren bereits die Reinisolierung von Kokain maßgeblich gesteuert. Sein 1908 gegründetes Chemie-Unternehmen wurde 1938 »arisiert«, also enteignet. 1944 verschleppte man den 77-Jährigen ins Konzentrationslager. Dass die Diskussion um die Entwicklung überhaupt entflammte, verdankt die Nachwelt einem Brief Arthur Eichengrüns, den er kurz vor Kriegsende aus dem KZ Theresienstadt schickte. Dort schrieb er, Hoffmann habe damals lediglich nach seinen, Eichengrüns Vorgaben gearbeitet. Zeit, ihren Streit auszufechten oder sich womöglich zu einigen, hatten die beiden jedoch nicht mehr. Felix Hoffmann starb bereits 1946, Arthur Eichengrün drei Jahre darauf.

Und heute? Aspirin ist das bekannteste Schmerzmittel der Welt. Die TU Berlin-Charlottenburg ernannte Eichengrün 1948 zum Dr. rer. nat. h. c. Ein Denkmal für Arthur Eichengrün gibt es nicht, aber sein Grab auf dem Friedhof von Bad Wiessee existiert noch. | Adresse Bayer AG: Friedrich-Ebert-Straße 217, 42117 Wuppertal, www.wuppertal.bayer.de; Grab: Friedhof Bad Wiessee, Fritz-von-Miller-Weg 4, 83707 Bad Wiessee | **Bild oben** Artur Eichengrün um 1900 im Bayer-Werk Wuppertal | **Bild unten** Bayer in Wuppertal

27 __ Eike von Repgow

Der Verfasser des Sachsenspiegels

Im anhaltinischen Reppichau wird die Trumpfkarte voll ausgespielt: Alle paar Meter weisen Schautafeln, Hausbemalungen und Figurengruppen darauf hin, dass hier – möglicherweise – einst ein berühmter Mann geboren wurde. Eike von Repgow schrieb zwischen 1220 und 1235 den »Sachsenspiegel«, das älteste Rechtsbuch deutscher Sprache.

Eike genoss zunächst einen ländlichen, jedoch ambitionierten Unterricht. Vermutlich besuchte er die Halberstädter oder Magdeburger Domschule. Sechs Urkunden aus der Zeit zwischen 1209 und 1233 belegen, dass er als Begleiter adliger Herren unterwegs war und hin und wieder Schöffendienste leistete. Jedenfalls kam er der Juristerei auf die eine oder andere Weise nah. Den Sachsenspiegel hatte er bereits einmal auf Latein verfasst, bevor sein Herr und Freund Graf Hoyer von Falkenstein ihn bat, den Text ins Deutsche zu übertragen. Eike soll darob gestöhnt haben, aber er machte sich schließlich an die Arbeit. Was er niederschrieb, war das sächsische Gewohnheitsrecht seiner Zeit – es geht um das lokale Lehnrecht, das Wehrgeld- und Bußensystem, aber auch um die Grundsätze zur Königswahl.

An der bekanntesten Stelle seines Textes meldet sich der Autor selbst zu Wort und offenbart eine erstaunlich emanzipierte Gesinnung: Vor Gott, so Eike, seien der Arme und der Reiche völlig gleich. Knechtschaft hingegen erwachse aus Zwang und unrechter Gewalt. Seiner Zeit voraus war er auch in Sachen Gewaltenteilung: kirchliche Gewalt gut und schön, aber sie möge ihre Finger aus dem weltlichen Rechtsbereich halten. Schon Eikes zeitgenössische Wirkung war enorm: Der Sachsenspiegel »wanderte in alle Gebiete der deutschen Zunge von Livland bis in die Niederlande, von Hamburg und Salzburg bis in den slawischen Osten«, wissen die Historiker. Unbekannt hingegen ist das weitere Schicksal des rechtswissenschaftlichen Pioniers: Nach 1233 verliert sich seine Spur.

Und heute? Denkmäler finden sich auch in Magdeburg, Dessau und auf der Burg Falkenstein im Harz. Das Magdeburger Justizzentrum ist genauso nach ihm benannt wie der Eyke-von-Repkow-Platz in Berlin-Moabit. | **Adresse** Sachsenspiegel-Museum: Akener Straße 3a, 06386 Reppichau, www.reppichau.de (Mo–So 10–12 und 13–17 Uhr) | **Bild oben** Eikes Statue in Reppichau | **Bild unten** Eike-von-Repgow-Dauerschau in Reppichau

28 Albert Einstein

$E = mc^2$

Als ihm der Ulmer Gemeinderat 1949 die Ehrenbürgerwürde verleihen wollte, lehnte Albert Einstein höflich, aber bestimmt ab. Wie bei vergleichbaren Gelegenheiten verwies er dabei auf die Verbrechen der Nazis an seinen Glaubensbrüdern, die ihm Einlassungen mit deutschen Institutionen unmöglich machten. Um die Vertreter seiner Geburtsstadt nicht vor den Kopf zu stoßen, sollte die Zurückweisung jedoch vertraulich behandelt werden.

Nach seinem Diplom an der Technischen Hochschule Zürich arbeitete Einstein sieben Jahre lang als Technischer Vorprüfer beim Eidgenössischen Patentamt. Mitten hinein in diese Zeit fiel die Veröffentlichung seiner »Speziellen Relativitätstheorie« im Jahr 1905. Mit gerade einmal 26 Jahren eröffnete Einstein damit die Wissenschaftsdebatten des 20. Jahrhunderts. Um die Bewegung von Körpern in Raum und Zeit bestimmen zu können, entdeckte er ein Naturgesetz, das er in die berühmteste Formel der Welt packte: $E = mc^2$, sprich: Energie gleich Masse mal dem Quadrat der Lichtgeschwindigkeit. Zehn Jahre später erweiterte Einstein den Aufsatz zu seiner Allgemeinen Relativitätstheorie. Da war er bereits wieder in Deutschland, als Professor der Preußischen Akademie der Wissenschaften in Berlin. 1921 wurde ihm der Physik-Nobelpreis zuerkannt – ein Jahr vor dem Mord an dem jüdischen Politiker Walter Rathenau, zwei Jahre vor dem Hitler-Putsch. Mit der Machtübernahme der Nazis im Januar 1933 verließ er Deutschland. Seinen Schwur, nie mehr deutschen Boden zu betreten, sollte er einhalten. Eine neue Heimat fand Einstein stattdessen in Princeton/New Jersey, wo er seine Arbeiten am renommierten Institute for Advanced Study fortsetzte.

Einstein irrte sich so manches Mal, zum Beispiel in seiner Kritik am Zufallsprinzip in der Quantentheorie (»Der Alte (also Gott, B.I.) würfelt nicht«). Auch die Weltformel fand er nicht. Aber er fand Formeln für unsere Welt, die sie veränderten.

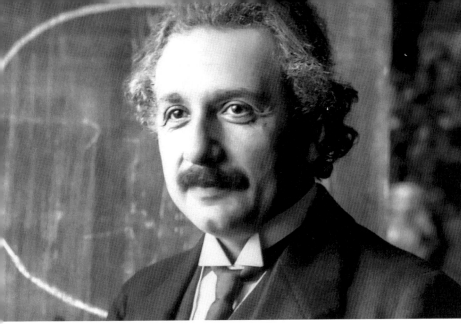

Und heute? Nach Einstein sind unter anderem zahlreiche Preise, ein chemisches Element und ein Mondkrater benannt. Ein berühmtes Denkmal steht in Washington (National Academy of Sciences), eine Kopie davon in Jerusalem (Israelische Akademie der Wissenschaften). Auch im Studienort Aarau wird seiner mehrfach gedacht. | **Adresse** Einstein in Ulm: Denkmal in der Bahnhofstraße 20 und Einstein-Brunnen Am Zeughaus, 89073 Ulm | **Bild oben** Einstein 1921 in Wien | **Bild unten** Der Einstein-Brunnen in Ulm

29 Elisabeth Amalie Eugenie

Genannt Sisi

Damit die Kunstfigur den echten Menschen überragt, muss einiges zusammenkommen. Im Falle von Romy Schneider waren das wohl die Anmut und die Frische, mit der die damals 16-Jährige ihre Rolle ausfüllte. Der 1955 gedrehte Film rührte Millionen zu Tränen, zwei Fortsetzungen taten ein Übriges, um den Mythos Sisi zu nähren. Den Hauptdarstellern war die Trilogie allerdings später peinlich.

Aufgewachsen ist Elisabeth Amalie Eugenie auf Schloss Possenhofen am Starnberger See. Die zweitälteste Tochter des bayrischen Herzogs Max und seiner Frau Ludovika genoss eine sorgenfreie Kindheit und liebte das Reiten, Zeichnen und Verseschmieden. Von ihrem aparten Äußeren geben die zahllosen Zeichnungen und Fotos im Sisi-Museum des alten Bahnhofs von Possenhofen Zeugnis. Aber was unbeschwert begann, schlug peu à peu ins Tragische um. Im Sommer 1853, Sisi war damals 15, erwählte sie ihr Cousin, der österreichische Kaiser Franz Joseph, zu seiner Braut. Ein Jahr später wurde sie mit dem acht Jahre älteren Monarchen vermählt.

Vier Geburten setzten ihr körperlich zu, vom frühen Tod ihrer erstgeborenen Tochter sollte sie sich nie erholen. Nachdem sich 1889 schließlich Sohn Rudolf das Leben genommen hatte, trug Sisi bis an ihr Lebensende nur noch Schwarz. Mindestens seit 1860 litt die junge Kaiserin zudem unter Lungenproblemen. Therapeutische Reisen gaben ihr die Gelegenheit zur Flucht vom ungeliebten Wiener Hof. Unter anderem besuchte sie 1885 die wenige Jahre zuvor von Heinrich Schliemann (siehe Seite 196) entdeckten Ruinen von Troja. Am Ende des dritten Sisi-Films erholt sich die Kaiserin vollständig von ihrem Leiden. Herzprobleme und wohl auch eine Magersucht beschwerten ihren realen Alltag. Dennoch hätte sie vielleicht noch Jahre leben können, wenn nicht ein selbst ernannter italienischer Anarchist und Aristokratenhasser sie im September 1898 sinnlos ermordet hätte.

Und heute? Schloss Possenhofen kann umwandert werden. Am Quai vor dem Hotel Beau Rivage in Genf, Sisis Todesort, steht ein Denkmal. | **Adresse** Kaiserin-Elisabeth-Museum: Schlossberg 2, 82343 Pöcking, www.kaiserin-elisabeth-museum-ev.de (Mai–Okt. Fr–So 12–18 Uhr); Sisi-Museum: Hofburg-Michaelerkuppel, 1010 Wien, www.hofburg-wien.at (Sept.–Juni täglich 9–17.30, Juli, Aug. 9–18 Uhr) | **Bild oben** Elisabeth in ihrem Verlobungsjahr 1853 vor Schloss Possenhofen (Stahl-stich, 1853) | **Bild unten** Schloss Possenhofen

30 __ Elisabeth von Thüringen

Selbstlos bis zur Selbstaufgabe

Ihren »Nachnamen« verdankt sie der Vermählung mit Ludwig IV., dem Sohn des thüringischen Landgrafen. Vier Jahre war die ungarische Königstochter jung, als man ihre Verlobung und Umsiedlung nach Deutschland arrangierte. Erst 1221 jedoch fand die Hochzeit statt. Und sechs Jahre später machte Ludwigs Tod während eines Kreuzzugs Elisabeth auch schon zur Witwe.

An ihre Zeit auf der Wartburg erinnert heute die Elisabethkemenate, ein seit Anfang des 20. Jahrhunderts komplett mit Mosaiken bestückter Gewölbesaal. Seine Pracht steht dem Wirken Elisabeths konträr gegenüber. Höfischen Prunk verachtete sie und fühlte sich stattdessen zu den Armen und Kranken hingezogen. Während ihr Gatte dies guthieß, sollen ihm ihre nächtlichen Gebete und ständigen Selbstgeißelungen missfallen haben. Als im schlimmen Winter 1225/26 eine Hungerkatastrophe drohte, öffnete man – auf ihren Befehl hin und mit Ludwigs nachträglicher Billigung – die landgräflichen Kornkammern. Eine mythische Überlieferung aus jener thüringischen Zeit ist hingegen das sogenannte »Rosenwunder«, dem gemäß Elisabeth in Brot verwandelte Blumen zu den Bedürftigen schmuggelte.

Nach Ludwigs Tod verstärkte sich Elisabeths Aufopferungswille bis hin zur Selbstzerstörung. Negativ wirkte sich auch der Einfluss ihres neuen Beichtvaters aus, des dogmatischen Großinquisitors Konrad von Marburg. Er zwang sie zur Loslösung von allen Freundinnen und Anverwandten inklusive ihrer Kinder und ließ sie für jedwede »Verfehlung« drakonisch bestrafen. Dennoch blieb sie in Marburg, wo sie 1228 ein Armenhospital erbauen ließ, in dem sie fortan als einfache Schwester diente. Augenzeugen berichteten, sie habe keine noch so niedere Arbeit gescheut und selbst die Entstelltesten ihrer Schützlinge gepflegt und geherzt. Bis sie selbst an der Reihe war. Schon 1235, vier Jahre nach ihrem Tod, wurde Elisabeth heiliggesprochen.

Und heute? Zahlreiche Schulen und Krankenhäuser wurden nach Elisabeth benannt. An der Stelle ihres Marburger Armenhospitals steht heute die ihr gewidmete Elisabethkirche. | Adresse Elisabethkirche: Elisabethstraße 3, 35037 Marburg, www.elisabethkirche.de (April–Okt. täglich 9–17, Nov.–März 10–16 Uhr); Wartburg: Auf der Wartburg 1, 99817 Eisenach, www.wartburg-eisenach.de (April–Okt. täglich 8.30–17, Nov.–März 9–15.30 Uhr) | **Bild oben** Mosaik in der Elisabethkapelle der Wiener Mexikokirche (um 1907) | **Bild unten** Die Elisabethkirche in Marburg

31 Till Eulenspiegel
Der Narr als Weiser

Sein Name tauchte erstmals 1510 in einer Sammlung von Schwänken auf. Dementsprechend karg sind die Kenntnisse über sein Leben – falls es diesen Till Eulenspiegel denn überhaupt gab. Angeblich kam er im niedersächsischen Kneitlingen zur Welt, und schon um seine Taufe rankt sich eine Legende: Nachdem seine Patin die Zeremonie im Wirtshaus allzu intensiv begossen hatte, fiel sie auf dem Rückweg mit dem Kind im Arm ins schmutzigkalte Wasser. Weil man den Knaben daraufhin in einem Kessel waschen musste, wurde Eulenspiegel letztlich drei Mal an einem Tage getauft. Schon als kleiner Junge, so liest man, habe er stets den Schalk im Nacken gehabt und seine Mitmenschen, sogar seinen eigenen Vater, nach Strich und Faden veralbert.

Eulenspiegels erste Zuschreibung ist immer der »Narr«. In seinem Fall meint dies jedoch genau das Gegenteil von »Trottel«. Während Letzterer stets zum Opfer, zum Gespött seiner Mitmenschen wird, steht Eulenspiegel intellektuell über ihnen. Er gibt den Naiven, ist den anderen aber immer mindestens einen Gedanken voraus. Einer seiner beliebtesten Kunstgriffe: die Worte seines Gegenübers wörtlich zu nehmen und dadurch für Tohuwabohu zu sorgen. Seinem Namen gemäß wird dieser Schelm gern mit Eule und Spiegel abgebildet. Von der Eule mag er die Weisheit haben, und der Gesellschaft den Spiegel vorzuhalten, ist seine Profession. Denn jenseits des reinen Ulks enthalten die Eulenspiegeleien nicht selten auch eine Portion Sozialkritik. Einen seiner berühmtesten Streiche spielte er dem Grafen von Anhalt, bei dem er als Turmbläser angestellt war. Während unten im Saal geschmaust wurde, hungerte oben Eulenspiegel. Und als schließlich die Raubritter anrückten, ignorierte er den Befehl und blies nicht warnend ins Horn. Zur Rede gestellt, erwiderte er mit renitenter Logik: Wer nichts zu essen bekomme, sei eben zu schwach zum Hornblasen.

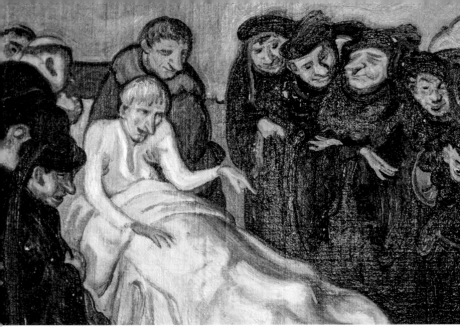

Und heute? Denkmäler stehen unter anderem in Kneitlingen, Mölln und Braunschweig (Eulenspiegel-Brunnen). | **Adresse** Eulenspiegel-Museum Mölln: Am Markt 2, 23879 Mölln, www.moellner-museum.de (Mai–Okt. Mo–Fr 10–13 und 14–17, Sa, So 11–17, Nov.–März Mo–Fr 14–16, Sa, So 11–13 und 14–16 Uhr); Eulenspiegel-Museum Schöppenstedt: Nordstraße 4a, 38170 Schöppenstedt, www.eulenspiegel-museum.de (Di–Fr 14–17, Sa, So 11–17 Uhr) | **Bild oben** »Eulenspiegels Vermächtnis« nach A. Paul Weber (1947) | **Bild unten** Das Eulenspiegel-Museum in Mölln

32 Georg Faust

Goethes Vorbild

Das Wort »Vorbild« ist doppeldeutig. Dabei kann es um ein positives Idol gehen, aber auch um eine bloße Vorlage. Georg Faust war beides für Goethe und all die anderen, die sich an seiner Figur künstlerisch versuchten. Denn in diesem Faust manifestiert sich die Rivalität zwischen Gott und Teufel, der existenzielle Kampf zwischen Gut und Böse, der in jedem Menschen tobt. Dem Doktor aus Goethes Drama geht es bei seinen Experimenten und Pakten nicht um materiellen Gewinn, sondern um etwas viel Höheres, Vermesseneres: um die Entdeckung des Jungbrunnens, jenes Grals namens »Das ewige Leben«.

Die Realität des echten Georg Faust, soweit wir sie kennen, verblasst dagegen ein wenig. Geboren in Knittlingen bei Maulbronn, soll er als Alchemist und Wunderheiler durch die Lande gezogen sein. Der Humanist Musianus Rufus (1470–1526) will ihn 1513 in einem Erfurter Wirtshaus getroffen haben. »Die Dummen«, schreibt er, »sind voller Bewunderung«, aber wer ihn durchschaue, sehe hinter der geschwätzigen Fassade nur einen anmaßenden »Prahler und Narr«. Offenbar jedoch fand dieser Narr genügend Anhänger, um materiell abgesichert ein recht gesetztes Alter zu erreichen.

Am Ende soll er dann im »Löwen« zu Staufen im Breisgau gewohnt haben. Das dortige Faust-Zimmer beherbergt eine Vitrine mit allerlei altertümlichen Behältnissen, die dem Chemielabor des Doktor Faustus nachempfunden sind. Unermüdlich habe der Getriebene hier nach dem idealen Mischungsverhältnis zur Herstellung von Gold gesucht. Aber statt des Edelmetalls erzeugte er eine Explosion, die ihn in den Tod riss. Sein Leichnam sei »grässlich deformiert« gewesen, heißt es in einer zeitgenössischen Chronik. Und der Volksmund wusste auch sofort, wer ihn da ins Jenseits abberufen hatte. Niemand anders als jener finstere Geselle, den Goethe ihm 250 Jahre später an die Seite stellen sollte: Mephistopheles.

Und heute? Das Hotel-Restaurant Löwen ist ganz auf den berühmten Gast von einst zugeschnitten. Staufen lernt man auf der Mephisto-Tour kennen (www.mephisto-tour.de). In Knittlingen befinden sich Faust-Museum und Faust-Archiv. | **Adresse** Löwen: Rathausgasse 8, 79219 Staufen im Breisgau, www.fauststube-im-loewen.de (täglich ab 8 Uhr); Faust-Museum: Kirchplatz 2, 75438 Knittlingen, www.faustmuseum.de (Di–Fr 9.30–12 und 13–17, Sa, So 10–18 Uhr) | **Bild oben** Der Teufelspakt, Stahlstich von Julius Nisle (um 1840) | **Bild unten** Der Löwen in Staufen

33___Artur Fischer

Dübel, Blitzlichter und Knochenschrauben

Stellvertretend für alle großen Erfinder vermeintlich kleiner Dinge sei hier Artur Fischer genannt. Wer in alter Zeit ein Steinhaus baute, setzte immer mal wieder ein Stück Holz zwischen die Blöcke, um dort später Nägel einschlagen zu können. Später ließ man dann Holzdübel in den Putz ein, die beim Eindrehen einer Schraube gespreizt und dadurch festsitzend wurden. Oder man fertigte Dübel als Blechhülsen mit einer Hanffüllung. Artur Fischers geniale Idee war, stattdessen hochmodernen Kunststoff zu benutzen. Das damals neue Material Nylon schien ideal – es ist ebenso witterungsbeständig und elastisch wie das heute verwendete Polyamid. Fischer besorgte sich einen Rundstab, bohrte ihn hohl und begann zu schnitzen. Indem sein Dübel sich beim Eindrehen der Schraube wie ein Krokodilmaul öffnet, stemmen sich seine Rillen ins Bohrloch. Zwei eingeschnittene Widerhaken verstärken den Effekt. 1958 ließ Artur sich seinen mausgrauen Fischer-Dübel patentieren. Heute produziert sein Werk mehrere Millionen Dübel täglich, das Sortiment umfasst Dutzende verschiedener Befestigungen.

Artur Fischer stammt aus dem schwäbischen Dörfchen Tumlingen und wuchs in bescheidenen Verhältnissen auf. Obwohl das Geld zu Hause knapp war, besorgte ihm seine Mutter einen Märklin-Metallbaukasten – dem er 1965 seine eigene Fischertechnik-Reihe entgegensetzen sollte. Vorher jedoch absolvierte Fischer die Realschule und eine Schlosserlehre. Er zog in den Krieg, überlebte Stalingrad und floh aus englischer Gefangenschaft. 1948 erfand er einen Blitz, der synchron zum Auslösen des Fotoapparates aufleuchtete. Insgesamt gehen gehen über 1.000 Patentanmeldungen auf sein Konto, darunter auch medizinische Hilfsmittel wie etwa Fischers Knochenschrauben für eine bessere Heilung von Brüchen. »Wer erfindet, kann Kind bleiben«, sagte Artur Fischer einst. Und anscheinend verlängert Erfinden sogar das Leben.

Und heute? Artur Fischer erhielt zahlreiche Auszeichnungen, unter anderem 2014
den Europäischen Erfinderpreis für sein Lebenswerk. | Adresse Fischerwerke:
Artur-Fischer-Straße 35, 72178 Waldachtal-Tumlingen | Bild oben Artur Fischer
in den 1960ern | Bild unten Fischer-Dübel

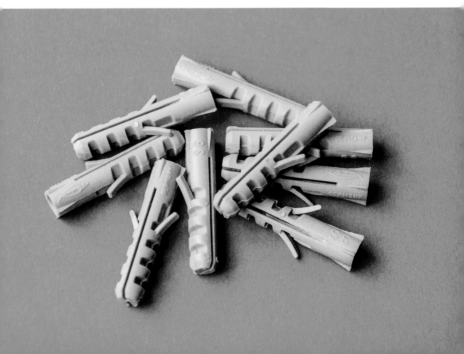

34_ Anne Frank

Ein Tagebuch gegen das Vergessen

Der Holocaust forderte rund sechs Millionen jüdische Opfer. Greifbar wird der abstrakte Wahnsinn dieser Zahl durch Einzelschicksale wie das der Anne Frank. Ihr im Versteck vor den Nazis verfasstes Tagebuch blieb der Nachwelt erhalten, seine Verfasserin nicht: Nach zwei Jahren des Hoffens und Bangens wurde die Familie verraten und im August 1944 von der Gestapo verhaftet. Die 15-jährige Anne deportierte man nach Auschwitz und von dort weiter nach Bergen-Belsen. Krankheiten, Mangelernährung und die schwere Zwangsarbeit setzten ihr zu. Sie starb im März 1945, wenige Wochen vor der Befreiung des Lagers.

Begonnen hatte dieses Leben in Frankfurt am Main. Heutzutage sind in die Mauer des alten Jüdischen Friedhofs am Neuen Börneplatz rund 12.000 Steine eingelassen, die der jüdischen Toten der Stadt gedenken. Darunter auch ein Stein für Anne Frank, die hier ihre ersten, unbeschwerten vier Jahre verbrachte. Ihr Vater hatte am Ersten Weltkrieg teilgenommen, die Franks wohnten in Dornbusch, einem bürgerlichen Viertel, in dem jüdische und christliche Familien einträchtig nebeneinander existierten. Hitlers Machtübernahme im März 1933 beendete diesen Zustand abrupt. Anfang 1934 siedelten die Franks nach Amsterdam über, wo Vater Otto eine neue Stelle gefunden hatte.

Anne Frank galt ihren Zeitgenossen als aufgewecktes, vielseitig interessiertes Kind. Lesen und Schreiben waren ihre Leidenschaften, schon früh begann sie damit, Notizen zu ihrem Alltag zu machen. Am 12. Juni 1942 bekam sie zu ihrem 13. Geburtstag jenes rot-weiß karierte Büchlein geschenkt, das sie fortan begleiten sollte. Schon zwei Jahre zuvor hatten deutsche Truppen die Niederlande überfallen und besetzt. Antijüdische Gesetze folgten auf dem Fuß und veranlassten Otto Frank zur Einrichtung eines Verstecks im Hinterhaus seiner Firma an der Prinsengracht 263. Am 6. Juli 1942 tauchte die Familie dort unter.

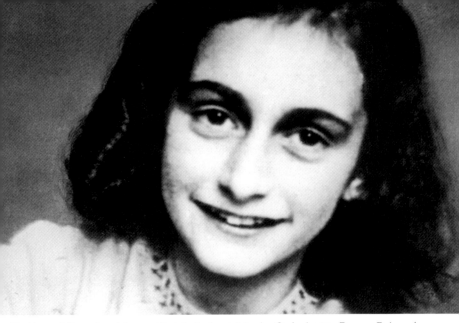

Und heute? Ihr unbezeichnetes Grab befindet sich in der Gedenkstätte Bergen-Belsen. | Adresse Alter Jüdischer Friedhof: Neuer Börneplatz, 60311 Frankfurt; Anne-Frank-Haus: Prinsengracht 263–267, 1016 GV Amsterdam, www.annefrank.org (April–Okt. täglich 9–21, Nov.–März Mo–Fr, So 9–19, Sa 9–21 Uhr); Jüdisches Museum: Untermainkai 14/15, 60311 Frankfurt, www.juedischesmuseum.de (Di, Do–So 10–17, Mi 10–20 Uhr); Anne-Frank-Zentrum: Rosenthaler Straße 39, 10178 Berlin-Mitte, www.annefrank.de (Di–So 10–18 Uhr) | **Bild oben** Anne Frank | **Bild unten** Gedenkmauer am Alten Jüdischen Friedhof in Frankfurt

35 Caspar David Friedrich

Romantik, Einsamkeit und Tod

Die Türen zum Erfolg öffneten sich für Caspar David Friedrich zunächst durch Goethe, der ihm 1805 den (geteilten) ersten Preis der Weimarer Kunstfreunde verlieh. Als er fünf Jahre später in Berlin die Akademie der Künste mit dem »Mönch am Meer« und der »Abtei im Eichwald« bestückte, schrieb ihm Heinrich von Kleist eine begeisterte Kritik. Sie führte zum Ankauf durch den preußischen König Friedrich Wilhelm III. und zu des Malers Eintritt in die Akademie. Die beiden gefeierten Gemälde hängen heute in der Alten Nationalgalerie auf der Berliner Museumsinsel.

Caspar David Friedrich wurde 1774 als sechstes von zehn Kindern in eine Seifensiederfamilie hineingeboren. Das nach der Wende restaurierte Elternhaus samt Betriebsgebäude beherbergt heutzutage sein Museum. Während man hier alles über seinen Werdegang sowie das Seifensiederhandwerk seiner Vorfahren erfährt, muss man für Friedrich-Originale ins Pommersche Landesmuseum nahe dem Greifswalder Markt gehen. Dort hängt neben sechs weiteren Gemälden sein Bild der »Ruine Eldena im Riesengebirge«. Caspar David Friedrich gilt als *der* Maler der frühen Romantik, mit einer klaren Tendenz zu Schwermut und Einsamkeit. Die Klosterruine im Greifswalder Osten gehörte mit ihrer morbiden Atmosphäre zu seinen bevorzugten Motiven. Auch seine berühmtesten Bilder, der »Kreidefelsen auf Rügen« und der »Wanderer über dem Nebelmeer« (beide 1818), transportieren diese existenzialistische Stimmung. Wenn Friedrich Menschen in seine Werke integrierte, dann blicken sie in eine weite, verunsichernde Ferne – und dem Betrachter bleibt lediglich ihr Rücken zur Ansicht.

Im Laufe der 1830er wurde Friedrichs Kunst vom aufkommenden Realismus überholt. Krankheiten, Depressionsschübe, Heimweh und Existenzängste suchten ihn heim. Der Tod, in seinen Bildern immer präsent, ereilte ihn nach drei Jahren der fast völligen Gelähmtheit am 7. Mai 1840.

Und heute? Friedrichs Bilder hängen in aller Welt, den »Wanderer über dem Nebelmeer« etwa findet man in der Hamburger Kunsthalle. In Greifswald führt ein Bildweg zu den Stationen seines Lebens (www.caspar-david-friedrich-greifswald.de). | Adresse Caspar-David-Friedrich-Museum: Lange Straße 57, 17489 Greifswald, www.caspar-david-friedrich-gesellschaft.de (Juni–Okt. Di–So 11–17, Nov.–Mai Di–Sa 11–17 Uhr); Pommersches Landesmuseum: Rakower Straße 9, 17489 Greifswald, www.pommersches-landesmuseum.de (Mai–Okt. Di–So 10–18, Nov.–April 10–17 Uhr) | Bild oben Selbstporträt (um 1800) | Bild unten Das Museum in Greifswald

Caspar David Friedrich Zentrum

36 Friedrich I. (Barbarossa)

Nachruhm dank Rotbart

Im Jahr 1248 zog ein Mann durch deutsche Landen, der sich als Kaiser Friedrich ausgab. Rein rechnerisch war das nicht möglich, und so wurde er denn in Köln aus der Stadt gejagt. In Neuss jedoch, nur ein paar Kilometer weiter rheinabwärts, schenkte man Tile Kolup Glauben und stattete ihn mit allen Insignien eines Souveräns aus. Letztendlich verschmolzen in jenem berühmt gewordenen Aufschneider zwei der bedeutendsten Kaiser des Mittelalters. Insgesamt rund 100 Jahre regierten die Hohenstaufen Friedrich I. (Barbarossa) und Friedrich II. Weil das Reich unter ihrer Regentschaft relativ stabil und befriedet blieb, behielt das Volk die beiden in guter Erinnerung. Und Erinnerungen verwandeln sich mit der Zeit stets in Mythen.

Uns Heutigen ist der Kaiser Barbarossa präsenter als sein Enkel Friedrich II., und das liegt wohl vor allem an seinem markanten roten Bart. Die Sehnsucht nach der »guten alten Zeit« brachte die Kyffhäuser-Sage hervor: Dort schlafe der Kaiser mit seinen Getreuen, sein Bart sei bereits durch den steinernen Tisch gewachsen. Aber eines Tages werde er erwachen und das Reich zu neuer Blüte führen. Besonders heiß wurde die Geschichte im 19. Jahrhundert gehandelt, als die deutsche Kleinstaaterei allmählich auf eine nationale Vereinigung abzielte. Kein Wunder also, dass das pompöse Kyffhäuser-Denkmal 1896 eingeweiht wurde.

Friedrich Barbarossa regierte ein Reich, das unter anderem das heutige Deutschland sowie große Teile Frankreichs und Polens umfasste. Allein sechs Mal zog der 1155 zum Kaiser gekrönte Regent über die Alpen gen Italien, um die dortigen Besitztümer zu sichern. Im Dienste der Christenheit wiederum brach er im Mai 1189 zu seinem zweiten Kreuzzug nach Jerusalem auf, der ihm den Tod bringen sollte. Der 70-Jährige ertrank bei einem Bad im Fluss Saleph, nahe dem türkischen Mittelmeer. Wahrscheinlich starb er an einem Herzschlag.

Und heute? Das Kyffhäuser-Denkmal und die Barbarossa-Höhle im Kyffhäuser-Gebirge halten das Gedenken an Friedrich I. wach. | **Adresse** Kyffhäuser-Denkmal: 06567 Steinthaleben, www.kyffhaeuser-denkmal.de (April–Okt. täglich 9.30–18, Nov.–März 10–17 Uhr); Barbarossahöhle: 06567 Rottleben, www.barbarossahoehle.de (April–Okt. 10–17, Nov.–März 10–16 Uhr) | **Bild oben** Barbarossa zwischen seinen Söhnen Heinrich VI. und Friedrich von Schwaben in der Welfenchronik (Ende 12. Jh.) | **Bild unten** Das Kyffhäuser-Denkmal

37 Friedrich der Große
Kunst, Krieg und Kartoffeln

Er schrieb Gedichte und gab Flötenkonzerte, aber er führte auch unentwegt Kriege. Fest im historischen Gedächtnis Deutschlands verankert: der Siebenjährige Krieg gegen die Allianz von Österreich, Frankreich und Russland. Mehrere Male stand Preußen unter seiner Führung vor der totalen Niederlage und einem Staatsbankrott, der die weitere Geschichte Europas völlig anders geschrieben hätte. Am Ende jedoch hielt der »Alte Fritz« die Stellung und etablierte Preußen als neue Großmacht im Kräftespiel des Kontinents.

Friedrich II., ab 1740 König von Preußen, war eine widersprüchliche Gestalt mit weitem Horizont. Dafür steht nicht zuletzt jene Prachtanlage, die er vor den Toren Berlins in Potsdam errichten ließ. Sanssouci (also »Ohne Sorge«) begann als vergleichsweise bescheidenes Herrenhaus auf der Spitze eines terrassierten Weinbergs. In den Folgejahren jedoch wuchs es sich aus zu einem architektonischen Rausch zwischen Rokoko und Exotik. Ab 1747 verbrachte der König hier den Sommer und führte aus seinem Arbeitszimmer heraus die Regierungsgeschäfte. Und schon zehn Jahre später wusste er, wo man ihn einst begraben solle: »Im Übrigen will ich, was meine Person anbetrifft, in Sanssouci beigesetzt werden, ohne Prunk, ohne Pomp und bei Nacht.« 1786 starb er dann, aber erst am 17. August 1991 gelangten seine sterblichen Überreste in jene Gruft, die er sich schon zu Lebzeiten hatte anlegen lassen. Wer heutzutage hier vorbeikommt, findet auf seiner Grabplatte immer auch ein paar Kartoffeln. Wieso? Weil der König neben Wein auch diese Erdknolle predigte, die der deutschen wie kaum einer anderen Nation ans Herz wachsen sollte. Zu Recht, handelt es sich doch, wie Friedrich in seinem »Kartoffelbefehl« von 1756 formulierte, um »ein sehr nützliches und sowohl für Menschen als Vieh auf sehr vielfache Weise dienliches Erd-Gewächse«.

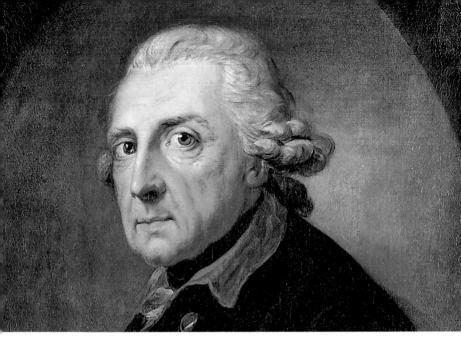

Und heute? Vor der Orangerie in Sanssouci und in Berlin Unter den Linden erinnern Reiterstandbilder an Friedrich den Großen. Seine Büste steht in der Regensburger Walhalla. | Adresse Sanssouci, 14469 Potsdam (April–Okt. Di–So 10–18, Nov.–März Di–So 10–17 Uhr) | Bild oben Der 68-jährige Regent auf einem Gemälde von Anton Graff (1781) | Bild unten Schloss Sanssouci

38 Julius Fromm

Dünner, elastischer, nahtlos

Von seiner Fabrik in Köpenick zeugt nur noch ein Stolperstein. Und die Rechte am Markennamen Fromm musste die Familie 1947 zurückkaufen – ausgerechnet von einem Vetter Hermann Görings. Zwei Jahre später zog die Firma ins niedersächsische Zeven, der Umsatz stieg stetig. »Fromms« wurde zum Synonym für Kondome.

Schutzmittel vor dem männlichen Samenerguss hat es schon immer gegeben. Casanova streifte sich noch steife, dickwandige Schafsdärme über. Die Vulkanisierung von Kautschuk brachte ab Mitte des 19. Jahrhunderts einigen Fortschritt, aber der entscheidende Sprung in die Moderne gelang 1916 dem Berliner Gummifabrikanten Julius Fromm. Indem er einen vorgeformten Glaszylinder ins Kautschukbad tauchte, erfand er das erste nahtlose Präservativ der Welt. Er taufte es »Fromms Act«.

Julius Fromm entstammte einer sehr armen jüdischen Familie, die 1893 vom östlichen Polen in die deutsche Hauptstadt gezogen war. Neben seiner Arbeit als Zigarettenverkäufer belegte Julius Abendkurse in Chemie. Mussten seine revolutionären Gummis zunächst unter der Ladentheke vertrieben werden, so entwickelte sich im Laufe der »Goldenen Zwanziger« ein regelrechter Boom. »Fromms zieht der Edelmann beim Mädel an«, sang man in den Bierschänken. Und Julius Fromm ließ sich eine schöne, neue Fabrik in Köpenick bauen.

Die Verfolgung durch die Nazis begann 1936 im Antisemitenblatt »Der Stürmer«. Als Reichswirtschaftsminister forcierte Göring den Zwangsverkauf der Fromm-Werke – zu einem Spottpreis an seine Patentante Elisabeth von Epenstein-Mauternburg. Immerhin gelang es Julius Fromm, mit seiner Familie nach London zu emigrieren. Den Wiederaufbau seines Lebenswerks durch Sohn Herbert erlebte er nicht mehr. Er starb am 12. Mai 1945, wenige Tage nach Kriegsende. Sein Herz, so erzählten seine Nachkommen, hatte die Freude über den Sieg der Alliierten nicht verkraftet.

Und heute? An der Stelle des Köpenicker Werkes steht heute ein Supermarkt.
Seine und die Geschichte des Kondoms wird im Virtuellen Markenmuseum (www.
marken-museum.de/577.0.html) nacherzählt. Von den Historikern Götz Aly und
Michael Sontheimer stammt das Buch »Fromms: Wie der jüdische Kondomfabrikant
Julius F. unter die deutschen Räuber fiel«. | **Adresse** Stolperstein: Friedrichshagener
Straße 38, 12555 Berlin-Köpenick; Fromm-Werk: Industriestraße 21−25, 27404
Zeven | **Bild oben** Fromms Personalausweis-Foto (1918) | **Bild unten** Fromms

39_ Jakob Fugger
Der wohlhabendste Mann Europas

Die Fuggerei war einst gedacht für bedürftige, katholische Augsburger Bürger. Dass es sich hier um eine Sozialsiedlung handelt, womöglich um die älteste der Welt, will man angesichts dieses wundervollen Gebäudeensembles allerdings kaum glauben. Jakob Fugger, genannt »der Reiche«, ließ die Häuser 1521 erbauen. 1376 war sein Großvater als einfacher Weber nach Augsburg gekommen und durch glückliche Umstände zu einem wohlhabenden Mann geworden. Als Jakob das Unternehmen Ende der 1480er übernahm, gehörte es bereits zu den einflussreichsten in deutschen Landen. Das zehnte von elf Kindern sollte die Erträge noch einmal steigern. Mit Geschäftszweigen von der Montanwirtschaft über das Kreditwesen bis zum weltweiten Handel mit (Edel-)Metallen wurde Jakob Fugger der mächtigste Kaufmann seiner Zeit. Als er 1525 starb, lag das Firmenkapital bei rund zwei Millionen Gulden. Mangels eigener Nachkommen ging es auf seine Neffen Raymund und Anton über.

Sein Handwerk hatte Jakob in Venedig gelernt, wo er seine Jugend verbrachte. Schon als 14-Jähriger soll er im dortigen Fondaco dei Tedeschi, dem Haus der deutschen Kaufleute, die Geschäfte der Familie vorangetrieben haben. Der italienische Baumwollhandel hatte den Grundstein für das Fuggersche Imperium gelegt. Bald zählten auch das Haus Habsburg und die römische Kurie zu seiner Klientel, Kunden also, wie man sie sich als Kaufmann nur wünschen kann. Seinen schier unermesslichen Reichtum nutzte er für politische Zwecke, etwa zur Unterstützung der Habsburger Monarchen, aber auch für soziale Projekte wie die Fuggerei. Der vom Bauherrn festgesetzte Mietpreis gilt bis heute, er liegt bei einem Rheinischen Gulden (rund 90 Cent) – jährlich. Hinzu kommt für die Bewohner die Auflage, dem edlen Stifter täglich drei Gebete zu widmen. Einer, der das sicher gern auf sich nahm, war der Maurermeister Franz Mozart, Urgroßvater des Komponisten.

Und heute? Neben der Fuggerei gehen auch die Fuggerhäuser an der Maximilian-straße und die Fuggersche Grabkapelle in der Augsburger Annakirche auf Jakob Fugger zurück. | **Adresse** Fuggerei: Eingang Jakoberstraße, 86152 Augsburg, www.fugger.de (April–Sept. täglich 8–20, Okt.–März 9–18 Uhr); Grablege Annakirche: Fugger-straße 8, 86150 Augsburg, www.st-anna-augsburg.de (Mo 12–17, Di–Sa 10–17, So 10–12.30 und 15–17 Uhr) | **Bild oben** Jacob Fugger | **Bild unten** Die Fuggerei

40 Paul Gerhardt

Tröstliche Lieder, streitbarer Pfarrer

Kirchgängern, seien sie evangelisch oder katholisch, entlockt die Nennung seines Namens ein »Ach ja!«. Denn »P. Gerhardt« steht noch immer unter ausgesprochen vielen Texten des liturgischen Liederbuchs. Vor dem Paul-Gerhardt-Haus in seiner sächsischen Heimatstadt Gräfenhainichen zitiert eine Tafel etwa das nach seiner ersten Zeile benannte »O Haupt voll Blut und Wunden, / voll Schmerz und voller Hohn, / o Haupt, zum Spott gebunden / mit einer Dornenkron (...)«. Einzelne Passagen davon gingen in Johann Sebastian Bachs Matthäuspassion ein; die Melodie von Johann Crüger coverte unter anderem Paul Simon. Das Lied wurde in 95 Sprachen übersetzt und ins Weltkulturerbe der UNESCO aufgenommen.

Rund 140 Liedtexte sind von Paul Gerhardt überliefert, er zählt zu den Pionieren des deutschen Volkslieds. Seine Texte schrieb er für jede feierliche Gelegenheit, wobei Passionslieder deutlich überwiegen. Sie vermitteln einen schlichten, aufrechten, tröstenden Glauben. Der Sohn eines Bauern und Gastwirts, mit 14 Vollwaise, wuchs in unsicheren Zeiten auf. Der Dreißigjährige Krieg tobte sich auch in Sachsen aus, an seiner Schule in Grimma dezimierte die eingeschleppte Pest das Personal. Dennoch qualifizierte sich der fleißige Junge für ein Theologiestudium in Wittenberg. 1642 präsentierte er hier anlässlich einer Magisterfeier sein erstes Gedicht. Zur Zeit seiner ersten Pfarrersstelle 1651 hatten bereits zahlreiche seiner Lieder Eingang gefunden in protestantische Gesangsbücher. Als Pfarrer an der Berliner Nikolaikirche entwickelte sich Gerhardt zu einem lutherischen Hardliner, der sich seinem reformistischen Fürsten widersetzte. Nach seiner Entlassung und dem Tod seiner Frau wechselte er 1668 nach Lübben im abgelegenen Spreewald, wo man den mittlerweile recht bekannten, dichtenden Pfarrer mit offenen Armen empfing. Dort starb er, nach sieben einsamen Jahren.

Und heute? Denkmäler und Gedenktafeln stehen in Gräfenhainichen und an seinen Wirkungsstätten in Wittenberg, Mittenwalde, Berlin und Lübben. | Adresse Ausstellung in der Paul-Gerhardt-Kapelle: Rudolf-Breitscheid-Straße 1, 06773 Gräfenhainichen, www.graefenhainichen.de/museen (Fr–So 14–17 Uhr); Paul-Gerhardt-Haus: Karl-Liebknecht-Straße 17, 06773 Gräfenhainichen, www.graefenhainichen.de/pghaus (dient als Versammlungsstätte der evangelischen Gemeinde) | Bild oben Gerhardt-Gemälde in der Paul-Gerhardt-Kapelle | Bild unten Die Paul-Gerhardt-Kapelle

41 Johann Wolfgang von Goethe

Ein Hesse in Thüringen

Gemeinsam mit Schiller gilt er als der Kopf der »Weimarer Klassik«. Das Denkmal der beiden steht vor dem Deutschen Nationaltheater in Weimar, und dort am Frauenplan findet man auch Goethes Haus, ausgebaut zum Museum. Bereits mit 26 Jahren lud Herzog Carl August ihn an seinen Hof, der ihm zeitlebens zur Heimat werden sollte. Aber geboren und aufgewachsen ist Johann Wolfgang in Frankfurt, und das hört beziehungsweise liest man auch. Als echter Hesse reimte er »Kinder« auf »Winter« und – im Faust – »Neige« auf »Segensreiche«.

Väterlicherseits stammte der später geadelte Dichterfürst aus einer großbürgerlichen Familie – sein Großvater war ein hoher Beamter, sein Vater ein viel beschäftigter Jurist. Auch Johann Wolfgang schlug zunächst diese Laufbahn ein, aber mit wenig Engagement. Denn der junge Advokat war mehr der Poesie als den Akten zugeneigt, und mitten hinein in seine Studienjahre platzten dann zwei literarische Bomben, die ihn in eine ihm gemäßere Welt katapultierten: das Drama »Götz von Berlichingen« (1773) und der Briefroman »Die Leiden des jungen Werthers« (1774). Vor allem Letzterer, die Geschichte eines Selbstmörders aus unglücklicher Liebe, machte Goethe zum Star. Das allseits grassierende »Werther-Fieber« war so hoch, dass er bereits der zweiten Auflage ein beschwichtigendes Motto beigeben musste: »Sei ein Mann und folge mir nicht nach.«

Goethes Größe manifestiert sich durch die thematische Bandbreite, aber vor allem die Qualität seiner Texte. Ein Trio wie der Himmelsstürmer Faust (siehe Seite 72), der Erdling Wagner und der Höllenfürst Mephistopheles loten den Kosmos des – männlichen – Menschenwesens in aller Tiefe und Breite aus. Und am anderen Ende der Skala steht ein kleines Gedicht wie »Wandrers Nachtlied/Ein Gleiches« – beiläufig an eine Jagdhütte gekritzelt und dennoch für die Ewigkeit: »Über allen Gipfeln ist Ruh ...«

Und heute? Goethe ist in Deutschland omnipräsent – sei es als Pate für Straßen und Schulen oder in Form von Büsten. Sein Geburtshaus in Frankfurt ist ebenso Museum wie das Wohnhaus in Weimar. | **Adresse** Geburtshaus: Großer Hirschgraben 23–25, 60311 Frankfurt/M., www.goethehaus-frankfurt.de (Mo–Sa 10–18, So 10–17.30 Uhr); Wohnhaus: Frauenplan 1, 99423 Weimar, www.klassik-stiftung.de (Sommer: 9.30–18, Winter: 9.30–16 Uhr) | **Bild oben** »Goethe in der Campagna di Roma«, Gemälde von Johann Heinrich Wilhelm Tischbein (um 1848) | **Bild unten** Im Frankfurter Goethe-Haus

42 Götz von Berlichingen

Der mit der eisernen Hand

Als literarische Figur ist er berühmter denn als historische. Goethe hat ihm mit seinem gleichnamigen Theaterstück von 1773 ein ewiges Denkmal gesetzt. In seiner Sturm-und-Drang-Phase ging es dem jungen Dichter um den Ausbruch aus der Konvention – in der Anlage des Stücks wie in der Zeichnung der Charaktere. Ritter Götz ist hier ein Freigeist, ein wertekonservativer Haudrauf und Hagestolz, der sich dem intriganten Adel entschlossen widersetzt: »Er aber, sag's ihm, er kann mich im Arsche lecken!«, lässt er dem Hauptmann ausrichten, der seine Burg belagert.

Der echte Gottfried/Götz entstammte dem Adelsgeschlecht derer von Berlichingen. Wegen seines Eigensinns für Hofdienste ungeeignet, verschrieb er sich im 17. Lebensjahr dem Kriegshandwerk. Nachdem er rund zwei Jahre unter anderem zur Bande des Raubritters Thalacker von Massenbach gehört hatte, beteiligte er sich ab 1504 am Landshuter Erbfolgekrieg zwischen der Rheinpfalz und Bayern. Am 23. Juni des Jahres trennte ihm eine Kanonenkugel die rechte Hand ab. Noch auf dem Krankenlager schmiedete er Pläne für eine »eiserne Hand«, die er dann ab 1510 zeitlebens tragen sollte. Die Prothese hielt Götz nicht davon ab, auch in der Folgezeit von einem Kampf in den nächsten zu ziehen. Ein erster Beleg für seinen Beinamen »Der mit der eisernen Hand« stammt von 1518. Ein Jahr zuvor hatte er die Burg Hornberg erworben, die ihm besonders wegen der dazugehörigen Weinberge und des großen Weinkellers gefallen haben soll.

Götz' Rolle im Bauernkrieg war zwiespältig. Von den Aufständischen gezwungen, führte er zeitweilig eine marodierende Meute an. Später büßte er dafür durch eine anderthalbjährige Haft und die Auflage, seine Burg nie wieder zu verlassen. Aber noch als 60-Jähriger zog er für den Kaiser gegen die Türken, bevor er, »uber etlich und achtzig Jahr alt«, friedlich verstarb.

Und heute? In Götzens Burg kann man heute edel speisen und nächtigen. Goethes
Götz wird unter anderem auf Burg Jagsthausen alljährlich aufwendig inszeniert
(www.jagsthausen.de/burgfestspiele). | Adresse Burg Hornberg 1, 74865 Neckar-
zimmern, www.burg-hornberg.de (täglich 10–17 Uhr) | Bild oben Götz auf einer
Glasmalerei von 1547 | Bild unten Auf der Burg Hornberg

43 — Brüder Grimm

Märchenforscher und Sprachwissenschaftler

Wie will man die Grimms trennen? »Brüder« scheint ihr gemeinsamer Vorname zu sein, so eng stehen sie im kollektiven Gedächtnis nebeneinander. Sie wuchsen zusammen auf, wohnten zusammen und arbeiteten zusammen – bis zu ihrem Tod.

Ihr bis heute populärster Coup sind die ab 1812 publizierten Grimmschen »Kinder- und Hausmärchen«. Die Romantiker suchten nach einem verschüttgegangenen Deutschtum, man sammelte Volkslieder und sonstige mündliche Überlieferungen aus alter Zeit. Bis heute erlebt die Anthologie zahllose Neuauflagen und Übersetzungen. Mindestens ebenso bedeutend sind jedoch die germanistischen Arbeiten der Grimms, mit denen sie die akademischen Sprachwissenschaften begründeten. Ab 1818 forschte zunächst nur Jacob, später beide Brüder nach einer »Deutschen Grammatik«: Wie bildeten sich die Laute unserer (heute indoeuropäisch genannten) Sprachen, wie ihre Worte? Und wie wandelten sie sich weshalb im Laufe der Zeit? Unmittelbar aus diesen Forschungen hervor ging schließlich auch das 1838 begonnene »Deutsche Wörterbuch«. Das Mammutwerk sollte sämtliche Wörter deutscher Sprache etymologisch herleiten, samt aller verfügbaren historischen Belege, und geht damit weit über den später begonnenen Rechtschreib-Duden (siehe Seite 50) hinaus. Nachdem die Brüder selbst es nur bis zum F geschafft hatten, ging die Arbeit noch hundert Jahre weiter. 1961 abgeschlossen, umfasst das Kompendium nun 32 dicke Bände.

Auch als Wilhelm 1825 heiratete, blieb das Verhältnis der Brüder innig und der ewige Junggeselle Jacob selbstverständlich im Haus. Er war mit seinen Büchern verheiratet, unterstellten ihm schon seine Zeitgenossen. Als Wilhelm 1859 starb, schrieb er einem Mitarbeiter: »Gestern den 16. um 3 uhr nachmittags ist Wilhelm, die hälfte von mir gestorben. Wunderbar, dasz er gerade den buchstaben D vollendet hatte und nun die correcturen zurück sind.«

Und heute? Benennungen von Schulen, Straßen, Preisen et cetera nach den Brüdern Grimm sind Legion. Denkmäler stehen in Hanau (vor dem Rathaus) und in Kassel (vor der ehemaligen Torwache). | **Adresse** Grimmwelt: Weinbergstraße 21, 34117 Kassel, www.grimmwelt.de (Di–Do, Sa, So 10–18, Fr 10–20 Uhr); Brüder Grimm-Haus (Museum): Brüder-Grimm-Straße 80, 36396 Steinau an der Straße, www.bruedergrimm-haus.de (täglich 10–17 Uhr) | **Bild oben** Wilhelm (links) und Jacob auf einem Porträt von Elisabeth Jerichau-Baumann (1855) | **Bild unten** Die Grimmwelt in Kassel

44_ H. J. C. Grimmelshausen

Ein sturzbetrunkener Umsturz

Sein Wirtshaus kann man noch heute besuchen, es steht in Gaisbach am Rande des Schwarzwalds. Nach dem endgültigen Ende des Dreißigjährigen Krieges hatte Grimmelshausen eine Stelle als »Schaffner« seines ehemaligen Kriegsherrn Hans Reinhard von Schauenburg angetreten. Als solcher kümmerte er sich nicht zuletzt um die in den Kriegswirren heruntergekommenen Weinberge des Besitzes. 1665 hatte er genug Geld beisammen, um selbstständig zu werden. Direkt gegenüber dem Gaisbacher Schloss erwarb er ein Grundstück, auf das er den »Silbernen Stern« setzte. Grimmelshausen wurde Gastwirt, und er fand endlich Zeit, intensiv an jenem Buch zu arbeiten, das in die Literaturgeschichte eingehen sollte.

Der Roman stand in der Hierarchie der literarischen Gattungen im 17. Jahrhundert weit hinter dem Epos und der Tragödie zurück. Nicht zuletzt Grimmelshausen und seinem »Abenteuerlichen Simplicissimus Teutsch« (1668) ist es zu verdanken, dass sich dies in der Folge änderte. Das im wahrsten Sinne barocke Werk arbeitet des Autors eigene Kriegserlebnisse auf − aus der Sicht eines vermeintlichen Simpels, der sich mit Bauernschläue hinter der Maske des Narren zu verstecken weiß, wenn es ihm zum Vorteil gereicht. Satire, Tragikomik, pure Albernheiten und derb-skurrile Beschreibungen der brutalen Wirklichkeit würzen diesen Schelmenroman. Weil Grimmelshausen nicht das Leben der Höfe, sondern den Alltag der Landser und Bauern beschreibt, liefert seine Erzählung zugleich ein wertvolles Zeugnis zur Sozialgeschichte des 17. Jahrhunderts.

Der Simplicissimus überlebte das Gemetzel, genau wie sein Schöpfer. Die Kriegsgräuel scheinen seiner Lebensfreude nicht geschadet zu haben. Grimmelshausen zeugte mit seiner Frau Catharina rund zehn Kinder. 1667 avancierte er zum Schultheiß im nahen Renchen, wo er neun Jahre später − hochgeehrt von der Gemeinde seiner Nachbarn und Leser − verstarb.

Und heute? In Renchen findet man Grab und Denkmal des Dichters. Das Land Baden-Württemberg hat einen Radweg zu Stationen aus Grimmelshausens Leben erstellt (www.dla-marbach.de). | **Adresse** Grimmelshausen-Museum: Hauptstraße 32, 77704 Oberkirch, www.oberkirch.de (Di, Do 15–19, So 10–12.30 und 14–17 Uhr); Simplicissimus-Haus: Hauptstraße 59, 77871 Renchen, www.simplicissimushaus.de (So 15–18 Uhr und nach Vereinbarung, siehe Website) | **Bild oben** Fresko im Renchener Bürgersaal | **Bild unten** Der Silberne Stern in Oberkirch

45 Walter Gropius

Zeitlos modern

Spaziert man durch die Dessauer Meisterhäuser der Bauhaus-Professoren, fallen ein paar winzige Details ins Auge. Die Armaturen im Badezimmer zum Beispiel wirken überformt und altmodisch. Jenseits dessen jedoch steht man in einem beinahe hundert Jahre alten Haus, das vollkommen zeitlos wirkt. Und der Architekt, der diesen unvergänglichen Baustil angestoßen hat, heißt Walter Gropius.

Künstler sind Handwerker im Sinne des Wortes, so lautete das Credo des Bauhaus-Gründers. Als er seine Weimarer Hochschule 1919 aus der Taufe hob, sah er sie als zukünftiges Design-Zentrum für Industrie und Handwerk. Die Bauhäusler bauten keineswegs nur Häuser, wie der Name nahelegt, sondern entwarfen jegliche Art von Möbeln und Hausrat. Dafür stehen schon die frühen Lehrer der Anstalt, von Gerhard Marcks und Lyonel Feininger über Paul Klee und Oskar Schlemmer bis zu Wassily Kandinsky und László Moholy-Nagy. Im Bauhaus-Museum von Weimar sind Klassiker wie die Tischlampe von Wilhelm Wagenfeld und das Schachspiel von Josef Hartwig zu bewundern.

Radikale Modernisten lösen Ängste aus und stoßen auf Ablehnung. Der nach rechts driftende Zeitgeist tat ein Übriges. Von Weimar nach Dessau vertrieben und finanziell ausgetrocknet, wurde das Bauhaus 1933 aufgelöst. Aber Gropius und seine Idee überlebten die Nazizeit. Der Gründervater verließ Deutschland 1934 und wurde Professor für Architektur an der Harvard University. Leben wollte er auch nach dem Krieg nicht mehr in der alten Heimat, arbeiten aber schon. So stammt unter anderem ein auffällig konkaver Wohnblock in der 1955 hochgezogenen Berliner Mustersiedlung »Südliches Hansaviertel« von Gropius. Das nach ihm benannte, berühmt-berüchtigte Hochhausviertel Gropiusstadt hingegen hat mit seiner ursprünglichen Planung kaum etwas zu tun. Hier hatte der Bau der Mauer 1961 einen Strich durch alle Rechnungen gemacht.

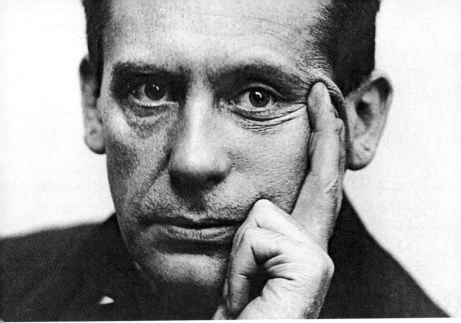

Und heute? Von Walter Gropius zeugen weltweit Bauwerke wie das Pan Am Building in Manhattan, die Universität Bagdad oder das Dessauer Arbeitsamt. | **Adresse** Meisterhaus: Ebertallee 63, 06846 Dessau-Rosslau, www.meisterhaeuser.de (Nov.–März täglich 11–17, April–Okt. täglich 10–17 Uhr); Bauhaus-Museum: Theaterplatz 1, 99423 Weimar, www.das-bauhaus-kommt.de (24. März–29. Okt. Mi–Mo 10–18, 30. Okt.–23. März Mi–Mo 10–16 Uhr) | **Bild oben** Walter Gropius, fotografiert um 1919 von Louis Held | **Bild unten** Meisterhaus in Dessau

46 Matthias Grünewald

Isenheimer Altar und Stuppacher Madonna

Die Stuppacher Madonna: eine alabasterfarbene Traumgestalt mit mildem Lächeln und weit über den Rücken fließendem roten Haar. Der Goldschimmer in Marias Locken korrespondiert mit zahlreichen weiteren Lichtwundern. Es ist nicht zuletzt das Farbenmeer der sonnendurchfluteten Wolken, des die Gottesmutter kränzenden, Himmel und Erde verbindenden Regenbogens und der vielschichtigen Landschaft, das Matthias Grünewalds Werk so einzigartig macht.

Seine genauen Lebensdaten sind umstritten, und ebenso, ob er ein Schüler Dürers war. Die Stuppacher Madonna jedenfalls entstand am Hof des Aschaffenburger Kardinals. In der dortigen Stiftskirche hing sie ab 1519 als Mittelteil eines Altar-Triptychons. 1532 gelangte sie als Schenkung in die Hände des Deutschordens, bevor sie 1809 in Stuppach bei Bad Mergentheim landete. Dort baute man ihr in den 1920ern eine eigene Kapelle, in der sie noch heute zu bewundern ist. Während Matthias' anderes Hauptwerk, der Isenheimer Altar (1512/16), in seiner Symbolsprache vergleichsweise puristisch wirkt, ähnelt die Stuppacher Madonna einem Wimmelbild. Immer wieder entdeckt der Betrachter neue Details, vom Granatapfel in Marias Hand über den Korallen-Rosenkranz zu ihren Füßen bis zum geheimnisvollen, dreigipfeligen Schneeberg im fernen Hintergrund. Die Summe der Insignien erhöht die Marienfigur zur erleuchteten Frau, die für die göttliche Glückseligkeit, für das ewige Leben steht.

Seinen Herren diente Grünewald nicht nur als Maler, sondern auch als Wasserbauingenieur oder Burgbaumeister. In Frankfurt am Main ließ er sich 1526, nach seinem Abschied beim Mainzer Erzbischof, als Seifenmacher nieder. Wie sich seine Spur bald darauf verlor, so geriet auch der Maler Matthias in Vergessenheit. Die Stuppacher Madonna wurde ihm erst 1881 wieder zuerkannt. Heute liegt ihr Versicherungswert angeblich bei 100 Millionen Euro.

Und heute? Grünewalds »Abendmahl« ist im Museum der Veste Coburg (www.kunst-sammlungen-coburg.de) ausgestellt. Der rechte Flügel der Stuppacher Madonna hängt im Freiburger Augustinermuseum (www.freiburg.de). | Adresse Stuppacher Madonna: Kirche Mariä Krönung, Grünewaldstraße 45, 97980 Bad Mergentheim-Stuppach, www.stuppach.de (täglich 8.30–18.30 Uhr); Isenheimer Altar: Museum Unterlinden, Place Unterlinden, 68000 Colmar, www.musee-unterlinden.com (ganzjährig Mo, Mi 10–18, Do 10–20, Fr–So 10–18 Uhr) | Bild Die Stuppacher Madonna

47 Andreas Gryphius

»Es ist alles eitel«

Seine Lebensdaten sprechen für sich: Andreas Gryphius ist ein Kind des Dreißigjährigen Krieges. 1628 begann die Zwangskatholisierung seiner Heimatstadt Glogau im heutigen Polen. In der Folge wurde der Ort mehrfach von den verschiedenen Parteien besetzt, ausgeplündert und verwüstet, bevor 1642 die Schweden die Oberhand behielten. Gryphius, seit seinem zwölften Lebensjahr Vollwaise, gelangte 1632 auf Umwegen nach Fraustadt (heute Wschowa/Polen). Der Krieg blieb hier außen vor, der Junge besuchte ein Gymnasium und wagte sich zwei Jahre darauf erstmals mit eigenen Versen an die Öffentlichkeit. In Danzig und später im niederländischen Leiden tauchte er in ein liberales, akademisches Umfeld ein und kam in Kontakt mit der modernen Naturwissenschaft und Literatur. Gryphius begann, seine Trauerspiele und Gedichte nun auch auf Deutsch zu schreiben. 1647, die Friedensverhandlungen waren in vollem Gange, kehrte er in seine schlesische Heimat zurück und wurde Syndikus (Rechtsvertreter) der Glogauer Obrigkeit.

Niemanden sonst verbindet man derart eng mit der »Vanitas«, jenem Leitgedanken der ersten Hälfte des 17. Jahrhunderts: Das Leben ist »eitel«, ein vergänglicher Zauber, der lediglich auf das ewige Reich Gottes hinleitet. »Du sihst / wohin du sihst nur Eitelkeit auff Erden. / Was dieser heute baut / reist jener morgen ein«, so hebt sein berühmtestes Sonett an (»Es ist alles eitel«, 1637). Aber anstatt zu verzweifeln, destillierte Andreas Gryphius aus seiner Schwermut und Friedenssehnsucht eine schöpferische Kraft, die ihn zum bedeutendsten Lyriker des Barockzeitalters werden ließ. Bevor er mit nur 47 Jahren einem Schlaganfall erlag, fand er Aufnahme in die »Fruchtbringende Gesellschaft«, einen der führenden Literaturzirkel seiner Epoche. Gegen den ihm dort verliehenen Ehrennamen hat er sich allerdings zeitlebens gesträubt: Sie nannten ihn den »Unsterblichen«.

Und heute? Das nach ihm benannte Glogauer Theater ist seit der Zerstörung im
Zweiten Weltkrieg Ruine geblieben. In Glogau wird auch der Andreas-Gryphius-
Preis verliehen. | **Adresse** 67200 Głogów liegt 150 Kilometer östlich von Cottbus
und 100 Kilometer nordwestlich von Breslau/Wroclaw. | **Bild oben** Andreas Gryphius
nach Philipp Kilian (1643) **Bild unten** Ruine des Gryphius-Theaters in Glogau

48 Johannes Gutenberg
... und die technische Reproduzierbarkeit

Johannes Gensfleisch, genannt Gutenberg, entstammte der Mainzer Oberschicht. Soziale Unruhen veranlassten die Patrizierfamilie 1429, die Stadt zu verlassen. Spätestens ab 1434 hielt sich Johannes in Straßburg auf, wo er bald auch kaufmännisch tätig wurde. Unter anderem stellte er sogenannte Wallfahrtsspiegel her – Informationen für die große Pilgertour nach Aachen. In Prozessakten des Jahres 1439 wird eine Geheimkunst des Gutenbergs erwähnt, welche seine Kollegen unter keinen Umständen weitertragen durften. Des Weiteren sprechen die Akten von Material, »das zu dem trucken gehöret«. Man kann also davon ausgehen, dass Gutenbergs Revolutionierung des Buch- und Zeitschriftenwesens bereits in Straßburg begann. Aus Vorformen der technischen Reproduzierbarkeit konstruierte er ein in sich geschlossenes Druckverfahren – ab sofort konnte en gros geliefert werden.

Wie es um 1448 in Mainz weiterging mit ihm, lässt sich auf dem Gutenberg-Pfad durch die Mainzer Innenstadt verfolgen. Das ihm gewidmete Museum spiegelt die Geschichte des Buchdrucks anhand zahlreicher Exponate, unter anderem einer Sammlung von Druckmaschinen aus sechs Jahrhunderten. Der größte Schatz des Museums jedoch findet sich in einem kleinen, abgedunkelten Raum im zweiten Stock. Nebeneinander aufgereiht liegen hier gleich zwei echte B42er, also Original-Gutenberg-Bibeln. Zwei Spalten à jeweils 42 Zeilen im Blocksatz – so setzte Gutenberg 1452–54 seine lateinische Bibel, das erste gedruckte Werk von Weltrang. Zugunsten eines einheitlichen Schriftbildes wurden 290 verschiedene Druckblöcke entworfen, also Buchstaben, Abkürzungen und Satzzeichen. Nur die farbigen Initialen und Zeichnungen des edlen Buches wurden noch von Menschenhand eingefügt. 1455 besuchte Gutenberg dann die nahe Frankfurter Messe, wo er sämtliche rund 160 Exemplare verkaufte. Der Rest ist Geschichte.

Und heute? An Gutenberg erinnert letztlich jede Zeitung, die man liest. Neben Mainz feiert auch Straßburg den Erfinder mit einer Statue (Place Gutenberg). | Adresse Gutenberg-Museum: Liebfrauenplatz 5, 55116 Mainz, www.gutenberg-museum.de (Di–Sa 9–17, So 11–17 Uhr) | **Bild oben** Gutenberg nach André Thevet (1584) | **Bild unten** Das Gutenberg-Museum in Mainz

49_ Otto Hahn

Der Kernspalter

Als Jugendlicher nutzte er die elterliche Waschküche als Labor und experimentierte hier zuweilen mit nicht ganz ungefährlichen Stoffen wie Natrium und Phosphor. Später studierte er Chemie, Mineralogie und Kristallografie, bevor er 1901 in seiner Heimatstadt Frankfurt promovierte. Nach ersten Forschungen zur Radioaktivität begann 1907 in Berlin Hahns lebenslange Zusammenarbeit mit der österreichischen Physikerin Lise Meitner. In den folgenden Jahren entdeckte das Team unter anderem diverse Isotope, also in ihrer Neutronenzahl voneinander abweichende Arten bereits bekannter Atome. Während Hahn den Ersten Weltkrieg noch nationalistisch unterstützte und Kampfgas für die Truppen entwickelte, wahrte er zu den Nazis Distanz. Er verhalf der Jüdin Meitner zur Flucht ins schwedische Exil und hielt den Kontakt mit ihr. Ende 1938 schließlich kam es zu einem der folgenschwersten Experimente der Weltgeschichte. Nach einem Plan von Meitner beschoss Hahns Team in Berlin Uranatome mit Neutronen aus Radium und Beryllium. Das Ergebnis erstaunte den Chemiker über die Maßen: »Wir wissen, dass Uran nicht zerplatzen kann«, schrieb er an seine Kollegin, aber genau das schien hier passiert zu sein. Die theoretische Erklärung des Vorgangs verfasste Lise Meitner zusammen mit ihrem Neffen Otto R. Frisch, sie erschien am 11. Februar 1939 im englischen Fachmagazin Nature. Den hier erstmals verwendeten Begriff »nuclear fission« übersetzte man später ins Deutsche mit »Kernspaltung«. Hahn und Meitner hatten den Weg bereitet für die Gewinnung von Energie durch die Spaltung von Atomkernen – im Guten wie im Schlechten. Im November 1945 wurde Otto Hahn, noch in britischer Gefangenschaft, rückwirkend der Nobelpreis für Chemie verliehen. Lise Meitner, wie Hahn entschiedener Gegner der militärischen Nutzung von Kernenergie, ging jedoch ungerechterweise leer aus.

Und heute? Eine Rekonstruktion des legendären Versuchsaufbaus von Hahn und Meitner steht im Deutschen Museum. In Frankfurt findet man ihn auf dem großen Wandmosaik »Frankfurter Treppe«. | Adresse Frankfurter Treppe im Main Tower: Neue Mainzer Straße 52–58, 60311 Frankfurt am Main, www.maintower.de (Mo–Fr 8–20, Sa 10–16 Uhr); Deutsches Museum: Museumsinsel 1, 80538 München, www. deutsches-museum.de (täglich 9–17 Uhr) | Bild oben Otto Hahn 1938 | Bild unten Die Frankfurter Treppe (Otto Hahn: unterste Reihe, 2. von rechts, im dunklen Anzug)

50— Samuel Hahnemann

Ähnliches heilt Ähnliches

Seinen Namen kennt kaum jemand, aber seine Erfindung ging um die Welt. Denn Samuel Hahnemann brachte die Homöopathie in die Medizin. Sein Credo: Kuriere Ähnliches mit Ähnlichem. Wer an Durchfall leidet, bekommt ein Extrakt von Wurzeln des chinesischen Rhabarbers (Rheum palmatum) verschrieben, weil der abführend wirkt. Homöopathie strebt nicht nach der raschen Unterdrückung von Krankheiten, sondern nach der Stärkung des Organismus, der sie zu bekämpfen hat.

Während Medikamente heutzutage zunächst an Tieren getestet werden, hielt sich Hahnemann an seine Familie. Probanden für neu entwickelte Heilmittel waren zunächst er selbst, sodann seine Frau und schließlich die elf Kinder. Hahnemann war, nach allem, was man über ihn weiß, ein Besserwisser und Pedant. Ständig eckte er an und wechselte von einer prekären Anstellung zur nächsten. Erst 1811, mit 56 Jahren, kam er als Dozent an der Universität Leipzig ein wenig zur Ruhe. Wie der Mensch, so waren auch seine Methoden von Beginn an umstritten – und sind es bis heute. Die Homöopathie hat, etwa in Indien und den USA, Millionen von Anhängern. Auch zahllose Schulmediziner absolvieren Zusatzausbildungen in Hahnemanns Sinn. Den Ruf der Scharlatanerie hat dieses Heilverfahren jedoch nie so ganz verloren. Borniertheit auf der einen, Dünkel und Esoterik auf der anderen Seite verhindern ein ausgewogenes Miteinander beider Glaubensrichtungen.

Zum Ende seines Lebens hin erntete Hahnemann späten Ruhm. Nach dem Tod seiner Frau 1830 heiratete er eine 45 Jahre jüngere französische Anhängerin seiner Methoden. Mélanie d'Hervilly führte ihn in die feine Pariser Gesellschaft ein und erweiterte seinen Klientenkreis um so illustre Persönlichkeiten wie den Schriftsteller Eugène Sue und Stargeiger Niccolò Paganini. Zahllose Selbstversuche scheinen ihm nicht geschadet zu haben: Samuel Hahnemann wurde immerhin 88 Jahre alt.

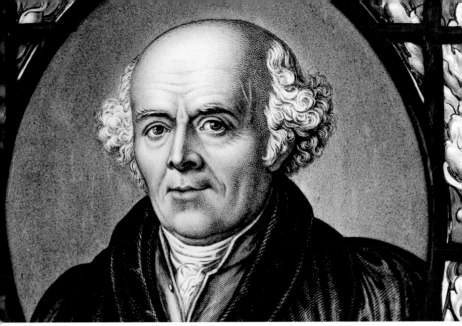

Und heute? Hahnemanns Haus in Köthen, in dem er von 1821 bis 1835 lebte und praktizierte, kann besichtigt werden. Denkmäler stehen in Köthen, Leipzig und Washington. Sein Grab liegt auf dem Pariser Prominentenfriedhof Père Lachaise. | **Adresse** Hahnemann-Haus: Wallstraße 47, 06366 Köthen, www.bachstadt-koethen.de (Mi 13 – 15, jeden 1. Sa im Monat 10 – 12 Uhr und nach Vereinbarung unter Tel. 03496/70099260) | **Bild oben** Samuel Hahnemann als Fensterschmuck | **Bild unten** Hahnemann-Haus und -Spital in Köthen

51 — Georg Friedrich Händel
Musiker, Komponist und Unternehmer

In Halle an der Saale hat man ihn mitten auf den zentralen Markt-
platz gestellt. Der größte Sohn der Stadt steht, die Hand entschlossen in die Hüfte gestemmt, auf einem hohen Podest und blickt – ja,
wohin? Nach London! Denn Georg Friedrich Händel war einer
der wenigen Künstler seiner Zeit, die sich im Ausland eine Existenz aufbauen konnten. Nach seinen vier italienischen Jahren
(1706–1710) ging er nach London und machte eine sensationelle
Karriere. Händel avancierte zum Hofmusiker des englischen Kö-
nigshauses und starb als hochdekorierter Multimillionär, den man
in einem Ehrengrab der Westminster Abbey beisetzte. Ludwig van
Beethoven soll ihn später als den größten Komponisten aller Zeiten
bezeichnet haben.

Über Händels Frühzeit weiß man wenig. Sein Vater habe einen
Juristen aus ihm machen wollen und der Musikerlaufbahn sehr
ablehnend gegenübergestanden. 1702 jedoch trat der damals
17-Jährige seinen ersten dahingehenden Job an: als Organist am
Hallenser Dom. Schon drei Jahre später wurde seine erste Oper
aufgeführt, und bald darauf begann sein Nomadenleben. Durch die
Arbeit als Kapellmeister des mit England verbandelten Hofs von
Hannover entstand der Kontakt gen London. 1727 wurde er englischer Staatsbürger.

Georg Friedrich Händel komponierte fast 70 Opern und Orato-
rien, darunter den »Messias« von 1741, dessen triumphaler Halleluja-
ja-Chorus in den Kanon der Musikgeschichte eingehen sollte. Als
Direktor der königlichen Opernakademie sowie mit dem Verkauf
von Noten und der Beteiligung an Operntickets kam er zu großem
Reichtum. 1751 jedoch begann Händels körperlicher Niedergang:
Augenprobleme hinderten ihn am Schreiben, ab Mitte 1752 war er
vermutlich vollständig blind. Dennoch begleitete er seine Orchester
weiterhin auf die Bühne. Noch eine Woche vor seinem Tod unterstützte er eine Aufführung des »Messias« an der Orgel.

Und heute? Händel-Denkmäler stehen im Londoner Victoria and Albert Museum sowie im Foyer der Opéra Garnier in Paris. Es gibt regelmäßige Händel-Festspiele in Halle, Göttingen und Karlsruhe. Das Hallenser Händel-Haus widmet sich seinem Leben und Werk. | Adresse Museum Händel-Haus: Große Nikolaistraße 5, 06108 Halle, www.haendelhaus.de (April–Okt. 10–18, Nov.–März 10–17 Uhr) | Bild oben Porträt von Balthasar Denner (1727) | Bild unten Das Händel-Haus in Halle

52 Kaspar Hauser
Der geheimnisvolle Junge

Er wurde weltberühmt ohne eigenes Zutun. Kaspar Hauser war weder Künstler noch Wissenschaftler, er hat nichts erfunden und nichts entdeckt. Eher wurde er entdeckt: als das naive, urtümliche Menschenwesen, als die geschundene Kreatur, der es vom ersten Tag an nicht vergönnt war, ein glückliches Leben zu führen. Oder war das doch alles ganz anders?

Am 26. Mai 1828 tauchte in Nürnberg ein etwa 16-jähriger Junge auf. Sein Gang war unsicher, sein Wortschatz beschränkte sich auf zwei immer wiederholte Sätze, und schreiben konnte er gerade einmal seinen Namen: »caspar hauser«. Immerhin trug er einen Brief bei sich, den man ihm zugesteckt haben musste. Der Unbekannte wurde zunächst eingesperrt, sein Fall eingehend untersucht. Schließlich kam man zu dem Schluss, der Junge müsse über lange Zeit gefangen gehalten worden sein, unter Ausschluss sozialer Kontakte. Der Fall machte Schlagzeilen, Kaspar Hauser wurde zu einer europaweit bekannten Person. Gönner und Eiferer nahmen sich seiner an, unter anderem ein wie aus dem Nichts aufgetauchter englischer Lord namens Stanhope. Der Junge lernte schnell, ab 1831 wohnte er in Ansbach im Hause des Lehrers Johann Meyer. Anlässlich seiner Konfirmation 1833 wurde erstmals die Erbprinzentheorie in die Welt gesetzt: Kaspar sei ein Sohn des Hauses Baden, den man der Thronbesteigung einer Nebenlinie geopfert habe. Früh jedoch hatte Kaspar auch Zweifler gegen sich. Der Junge sei ein Simulant, hieß es. Die Verletzung, die er sich 1829 bei einem Überfall zuzog und die eine bleibende Narbe hinterließ, habe er sich selbst beigebracht.

Das Mysterium um Kaspar Hauser wird wahrscheinlich nie gelöst werden. Dafür war sein Leben zu kurz. Am 14. Dezember 1833 lockte man ihn unter einem Vorwand in den Ansbacher Hofgarten. Der nie gestellte Mörder stach ihm das Messer mitten ins Herz, Kaspar Hauser erlag drei Tage später seinen Verletzungen.

Und heute? Im Ansbacher Markgrafen-Museum ist Kaspar Hauser ein eigener Bereich gewidmet. Ein Stadtrundgang folgt seinen Spuren. Sein Leben wurde vielfach verfilmt, bedichtet und besungen, unter anderem von Werner Herzog, Rainer Maria Rilke und Reinhard Mey. | **Adresse** Markgrafen-Museum: Kaspar-Hauser-Platz 1, 91522 Ansbach, www.ansbach.de (Mai–Sept. täglich 10–17, Okt.–April Di–So 10–17 Uhr) | **Bild oben** Kaspar Hauser um 1830 (Lithografie von Nicolaus Hoff) | **Bild unten** Hauser-Skulptur in Ansbach

53_ G. W. Friedrich Hegel
Idealismus und Dialektik

Ich bin frei (These), aber mein Gegenüber ist auch frei (Antithese). Deshalb müssen wir uns unter dem Dach einer gemeinsamen Organisation, nennen wir sie »Staat«, vereinigen (Synthese): So einfach und zugleich so schwer ist das mit Hegels legendärer Dreiheit. Vielleicht deshalb kam es in der Folge zu solch einer radikalen Aufspaltung der Anhänger. Während die Rechtshegelianer in ihm einen christlich-konservativen Vordenker des preußischen Deutschland sahen, war sein Dialektischer Idealismus für die Linkshegelianer Basis für den von Marx und Engels entwickelten Dialektischen Materialismus: Die Welt ist das, was man sieht, sie muss aus ihrer Widersprüchlichkeit heraus in eine neue, kommunistische Gesellschaftsform überführt werden.

Friedrich Hegel entstammte einer pietistisch-protestantischen Familie. Der Schüler galt als so fleißig wie unauffällig, erst der Student machte gesellschaftlich auf sich aufmerksam. Die Kommilitonen teilten seine anfängliche Begeisterung für die Französische Revolution und mochten seinen in breitem Schwäbisch präsentierten Humor. Außerdem soll er ein standfester Zecher gewesen sein. Bei Frauen jedoch hatte er offenbar keinen Schlag, sein der äußerlichen Trägheit geschuldeter Spitzname lautete: der alte Mann. Dass hier ein Genie heranreifte, habe niemand in seinem universitären Umfeld geahnt, so sein erster Biograf, der Philosoph Karl Rosenkranz (1805–1879).

Aber der junge Mann machte sich. Im Wintersemester 1801/02 hielt der frischgebackene Doktor seine erste Vorlesung in Jena (vor lediglich elf Studenten). 1807 erschien sein erstes Hauptwerk, die »Phänomenologie des Geistes«. Die schwer zugängliche, in Hegels eigentümlicher Kunstsprache verfasste Abhandlung sollte zu seinem späteren Ruhm ebenso beitragen wie die 1818 erfolgte Berufung an die Universität zu Berlin. 1829, zwei Jahre vor seinem Tod, wurde er ihr Rektor.

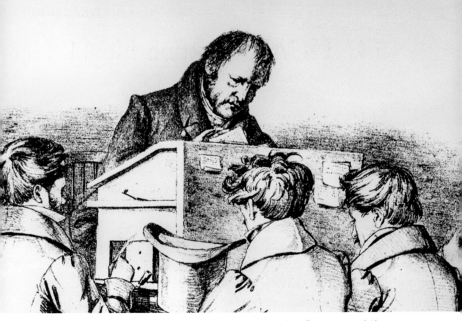

Und heute? Hegel fehlt auf keinem philosophischen Lehrplan. Stuttgart verleiht dreijährlich den internationalen Hegel-Preis und hat ihm in seinem Geburtshaus ein Museum eingerichtet. | Adresse Hegel-Haus: Eberhardstraße 53, 70173 Stuttgart, www.stadtmuseum-stuttgart.de/hegel-haus (Mo, Di, Mi, Fr 10–17.30, Do 10–18.30, Sa 10–16 Uhr) | Bild oben Hegel als Dozent (Wandbild im Hegel-Haus) | Bild unten Das Hegel-Haus in Stuttgart

54 Heinrich Heine

»Denk ich an Deutschland ...«

Dass er sich im Mai 1825 protestantisch taufen ließ, hatte keinen religiösen Hintergrund. Der Sohn einer jüdischen Kaufmannsfamilie wollte lediglich seine Berufschancen als Jurist verbessern. Geholfen hat ihm die Konversion jedoch nicht. Zeitlebens und weit darüber hinaus galt Heine seinen Landsleuten zuvörderst als Jude. Nicht umsonst zog er 1831 nach Paris, und erst 1981 – nach über hundert Jahren der Auseinandersetzung – wurde ihm in seiner Geburtsstadt ein Denkmal gesetzt. Zumindest ein Gutes hatte die ausgebliebene Anwaltskarriere jedoch: Heine verbrachte seine Zeit statt in der Kanzlei in der Schreibstube – und wurde einer der bekanntesten deutschen Dichter der Literaturgeschichte.

»Denk ich an Deutschland in der Nacht, / Dann bin ich um den Schlaf gebracht«, so beginnt das letzte Poem seines 1844 erschienenen Zyklus »Zeitgedichte«. Das inzwischen geflügelte Wort illustriert den Zwiespalt des Emigranten. Auch das im selben Jahr erschienene Versepos »Deutschland. Ein Wintermärchen« setzte sich mit der alten Heimat auseinander – satirisch und zuweilen boshaft zwar, aber was sich neckt, das liebt sich bekanntlich auch. Vor allem um die Liebe, genauer: die unglückliche Liebe zum anderen Geschlecht ging es hingegen in Heines erstem Publikumserfolg, dem »Buch der Lieder« von 1827. Von der später so scharfen Zunge ist in diesen Jugendgedichten noch nicht viel zu hören. Aber die Eleganz des sprachlichen Ausdrucks, die Virtuosität der Reime blüht hier bereits prächtig.

Das Düsseldorfer Heine-Museum zeichnet den Lebensweg von der Geburt mitten in der Altstadt bis zum Tod in der Pariser »Matratzengruft« mit Hilfe zahlreicher Originaldokumente nach. Sogar eine Locke von Heines Haar (braun, dünn) überlebte die Zeitläufte, und ebenso ein etwas windschief beschriebenes Blatt Papier von 1824, das mitverantwortlich für seinen späteren Weltruhm werden sollte: das »Lied von der Loreley«.

Und heute? Eines der bekanntesten von zahllosen Denkmälern steht mitten im Rhein: die Loreley unterm nach ihr benannten Felsen (siehe Seite 146). | **Adresse** Heine-Museum: Bilker Straße 12–14, 40213 Düsseldorf, www.duesseldorf.de/heineinstitut (Di–Fr, So 11–17, Sa 13–17 Uhr) | **Bild oben** Heine nach Gottlieb Gassen (1828) | **Bild unten** Das Heine-Denkmal am Düsseldorfer Schwanenmarkt

55 Heinrich IV.

... und sein schwerster Gang

Es gibt schmeichelhaftere Arten, berühmt zu werden. Bedingungslose Unterwerfung ist nicht gerade heldenhaft. Andererseits ging genau dieser Akt der Reue in den allgemeinen Sprachgebrauch ein und verhalf Heinrich IV. zu einem Stück Unsterblichkeit. Denn er ist es, der den ersten und echten »Gang nach Canossa« antrat.

Heutzutage ruhen die Salierfürsten in der mehrmals erweiterten Krypta des Speyerer Doms. Fast 100 Jahre lang, von 1027 bis 1125, stellte das ostfränkische Geschlecht den römisch-deutschen Kaiser. Heinrich IV. fungierte schon als Dreijähriger formal als Mitkönig. Als der Vater 1056 starb, stieg er zum Alleinherrscher auf, und von 1084 bis zu seiner unfreiwilligen Demission 1105 regierte er als Kaiser. Zuvor jedoch, im Januar 1077, machte er sich auf den kalten, gefährlichen Weg über die Alpen, zur Burg von Canossa, wo der Papst ihn erwartete. Im Vorjahr war nach langem Schwelen einer der langwierigsten und blutigsten Konflikte des hohen Mittelalters ausgebrochen, der sogenannte Investiturstreit. Vordergründig kämpften der kirchliche und der weltliche Herrscher darum, wer zur Ernennung von Bischöfen berechtigt sei. Eigentlich jedoch ging es wie so oft um Macht und Geld. Die Exkommunizierung des Königs durch Papst Gregor war ein bis dato einmaliger, unerhörter Akt.

Um einer zusätzlichen Absetzung als König durch die deutschen Fürsten zu entgehen, blieb ihm keine andere Wahl, als alle Forderungen Gregors zu erfüllen. Heinrich IV. hatte plötzlich so viele Feinde, dass ihm nur ein einziger Alpenpass offenstand, um Abbitte zu leisten. Im Vorhof der Burg Canossa wartete er drei volle Tage auf den Empfang – wehklagend, barfuß und im Büßergewand. Am 28. Januar schließlich kroch er zu Kreuze, warf sich vor Gregor nieder und bekannte sich schuldig. Endlich erteilte ihm der Papst die Absolution, alles war – vorerst – wieder gut, und man ging gemeinsam zum Essen.

Und heute? Der unter Heinrichs Großvater Konrad II. erbaute Speyerer Dom birgt die Grablege der Salierherrscher. | Adresse Domplatz, 67343 Speyer, www.dom-speyer.de (April–Okt. 9–19, Nov.–März 9–17 Uhr) | **Bild oben** »Heinrich vor Canossa« von Eduard Schwoiser (1860) | **Bild unten** Der Dom zu Speyer

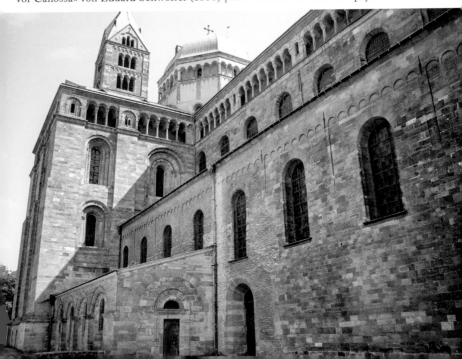

56 Hildegard von Bingen

Eine mittelalterliche Frauenrechtlerin

Man muss nicht tiefreligiös sein, um die heilige Hildegard als
große Persönlichkeit zu würdigen. Denn jenseits ihrer Bedeutung für die Kirchengeschichte war diese frühe deutsche Mysti-
kerin auch eine Universalgelehrte des 12. Jahrhunderts. In ihren
Schriften befasste sie sich mit Religionslehre und Kosmologie,
mit Medizin, Moral und Musik. Eine starke Frau, die sich nicht
zuletzt auch dem männerdominierten Klerus entgegenstellte.

1112 kam sie als junges Mädchen in das Kloster Disibodenberg
bei Bad Kreuznach. Hildegard entwickelte sich zur Musterschüle-
rin und Priorin dieser Benediktinereinrichtung, aber sie hatte ihren
eigenen Kopf. Die von Abt Kuno geforderte Askese lockerte sie
ebenso wie die Vorschriften zum Speiseplan. Gegen dessen massiven Widerstand gründete sie schließlich sogar ihr eigenes Kloster.
Um 1150 wechselte sie mit 18 Getreuen auf den Rupertsberg, eine
Anhöhe bei Bingen am Rhein.

Populär war Hildegard von Bingen schon zu Lebzeiten. Spen-
den verhalfen dem Kloster zu Reichtum. Kaiser Barbarossa schätz-
te den Briefwechsel mit Hildegard, andere ergötzten sich an ihren
Liedern, den wissenschaftlichen Werken oder ihrer Kräuterheil-
kunde. Bereits 1147 genehmigte der Papst die Veröffentlichung
ihres Hauptwerks »Liber Scivias Domini«: Hildegards lebenslange Visionen, die sie selbst als extrem kräftezehrende, mysteriöse
Lichterscheinungen beschrieb. Heutige Neurologen vermuten eine
schwere Migräne als Ursache. Aber was auch immer dahinter-
steckte, es half ihr, hochpoetische Verse zu schaffen: »Ich sah einen großen, eisenfarbenen Berg: auf ihm saß ein Menschenbild von
solchem Glanze, daß seine Helligkeit mein Auge blendete. (...) In
dem Berge selbst sah man zahlreiche Fenster, in denen bleiche und
weiße Menschenköpfe erschienen. Der Mann auf dem Berge rief
mit gewaltiger und durchdringender Stimme: O du gebrechlicher
Mensch (...).«

Und heute? Nach Hildegard sind zahlreiche Schulen benannt. Ihr Schrein steht in der Pfarr- und Wallfahrtskirche St. Hildegard in Rüdesheim-Eibingen. | Adresse Kloster-ruine Disibodenberg: 55571 Odernheim am Glan, www.disibodenberg.de (stets geöff-net, das angeschlossene Museum hingegen nur April–Okt. Fr 14–17, Sa 12–18 und So 11–17 Uhr) | Bild oben Hildegard-Miniatur aus dem Rupertsberger Codex (12. Jh.) | Bild unten Die Klosterruine Disibodenberg

57 — Alexander von Humboldt

Naturforscher und Aufklärer

Am 5. Juni 1799 bestieg Alexander von Humboldt im spanischen La Coruña die Pizarro – mit Kurs auf Venezuela. Der 33-Jährige hatte zu diesem Zeitpunkt eine Odyssee durch zig verschiedene Universitäten und Studiengänge hinter sich. Vier Jahre hatte er sich als Bergassessor verdingen müssen, ohne je seinen Traum aus den Augen zu verlieren: zu forschen, zu reisen, die Welt kennenzulernen. Das Erbe seiner 1796 verstorbenen Mutter ermöglichte ihm schließlich die Verwirklichung.

Seine erste große Expedition führte Alexander und seinen Kompagnon Aimé Bonpland über 2.775 Kilometer zunächst am Orinoko entlang. Dabei entdeckten sie eine Verbindung von diesem zum Amazonas. Insgesamt fünf Jahre verbrachten die beiden in Amerika, sie überquerten mehrfach die Anden, erkundeten geologische, geografische und astronomische Phänomene und sammelten rund 6.300 bislang unbekannte Pflanzen. Nach ihrem Empfang bei US-Präsident Thomas Jefferson landeten sie am 3. August 1804 wieder in Bordeaux.

20 Jahre lang und in 34 Bänden beschrieb er die Ergebnisse seiner ersten Reise. Wie seine Vorlesungen an der Universität seines Bruders Wilhelm in Berlin wurde auch sein ab 1845 erschienenes Hauptwerk »Kosmos. Entwurf einer physikalischen Weltbeschreibung« zu einem Meilenstein der europäischen Wissenschaftsgeschichte. In der Forschung stets offen für Neues, blieb er auch gesellschaftspolitisch bis ins hohe Alter ein aufgeklärter Geist. Wie er zunächst mit der Französischen Revolution 1789 sympathisiert hatte, so begrüßte er 60 Jahre später die Revolte von 1848. In Übersee stand er den Kolonialregimen gleichermaßen ablehnend gegenüber wie der Sklaverei. Und obwohl er zeitlebens Zigtausende strapaziöse Kilometer durch unwegsame Gebiete absolviert hatte, wurde Alexander von Humboldt ein sehr alter Mann. Er starb vier Monate vor seinem 90. Geburtstag.

Und heute? Nach Humboldt sind zahlreiche Pflanzen, Tiere, geografische Regionen und Schulen benannt. Denkmäler stehen unter anderem im New Yorker Central Park, auf dem Uni-Campus von Havanna und vor der Humboldt-Universität in Berlin. | Adresse Humboldt-Universität: Unter den Linden 6, 10099 Berlin, www.hu-berlin.de | Bild oben Alexander als Junge neben seiner Mutter (1780, Maler unbekannt) | Bild unten Seine Statue vor der Humboldt-Universität in Berlin

58 August Wilhelm Iffland

Ein George Clooney seiner Ära

Schriftsteller hinterlassen Bücher, bildende Künstler Gemälde und Skulpturen. Aber was bleibt von einem Schauspieler, der vor Foto und Film geboren wurde?

Seine Eltern hatten für ihn eigentlich ein Studium der Theologie vorgesehen. Aber August Wilhelm Iffland hatte seine eigenen Pläne, riss von zu Hause aus und schloss sich 1777 der damals berühmten Theatergruppe des Konrad Ekhof an. Zwei Jahre später landete er am Mannheimer Nationaltheater, das er gemeinsam mit Intendant von Dalberg zu einer der wichtigsten Bühnen Deutschlands formen sollte. 1782 spielte er hier den Franz Moor in der Uraufführung von Schillers »Räubern« – eine Glanzleistung, die ihn berühmt machen sollte. Spätestens ab diesem Moment müssen wir uns August Wilhelm Iffland als einen Brad Pitt oder George Clooney seiner Ära vorstellen. Zeitgenossen feierten ihn vor allem wegen seiner Kunst, in einer Rolle gänzlich aufzugehen – Iffland betrieb offenbar ein frühes »method acting«. Mit wachsendem Erfolg begann er, sich Stücke auf den eigenen Leib zu schreiben, er verfasste eine Autobiografie und wechselte 1796 ins aufstrebende Berlin. 1811 ernannte man ihn dort zum Generaldirektor der Königlichen Theater.

Auf dem Mannheimer Schillerplatz stand früher das Nationaltheater. Statt nach dem Dramatiker hätte man diesen Ort jedoch genauso gut nach August Wilhelm Iffland benennen können: Beide schrieben hier Geschichte. Während von den meisten seiner Kollegen mangels Bilddokumenten nichts blieb, ist Iffland weiterhin präsent: in Form des Iffland-Rings. Unter nicht ganz geklärten Umständen entwickelte sich ein verschickter Ring des Schauspielers zur heute höchsten Auszeichnung für Theaterschauspieler. Verliehen wird er vom jeweils bedeutendsten Mimen seiner Epoche an einen selbst gewählten Nachfolger – stets auf Lebenszeit. Träger seit 1996 ist der Schweizer Bruno Ganz.

Und heute? Am Schillerplatz in Mannheim steht eine Gedenktafel. Ifflands Grab findet man auf dem Friedhof der Jerusalem-Gemeinde in Berlin-Kreuzberg. | **Adresse** Gedenktafel: Schillerplatz/B3, 68159 Mannheim; Grab: Friedhof II der Jerusalems- und Neuen Kirchengemeinde, Mehringdamm 21/Zossener Straße 1, 10961 Berlin | **Bild oben** Iffland-Lithografie von Johann Stephan Decker (um 1820) | **Bild unten** Der Schillerplatz in Mannheim, Ort des alten Nationaltheaters

59 __ Friedrich Ludwig Jahn

Frisch, fromm, fröhlich, frei

Schon in der Antike benutzten Soldaten Pferdeattrappen für militärische Übungen. Später wurde dann solch ein Turngerät daraus, wie es im Friedrich-Ludwig-Jahn-Museum zu Freyburg steht: naturnah stilisiert samt Kopf und Schweif. 1811 hatte der Pfarrerssohn auf der Berliner Hasenheide den ersten deutschen Turnplatz anlegen lassen, ein Jahr später bekam er jenes Ross geschenkt, das die Gezeiten überlebte. Beim Turnen wurde, wie beim Exerzieren, gesungen. Die von Jahn begründete Bewegung trug deutlich militärische Züge, sie stand im Zeichen der napoleonischen Besatzung und der sich anbahnenden Befreiungskriege. Dementsprechend ging es beim gemeinsamen Turnen einerseits um romantisch-männerbündisches Zusammensein, andererseits jedoch auch um gezielte »Leibesübungen«: Hier wurden junge Männer auf höhere, im Zweifelsfall kriegerische Aufgaben hin trainiert.

Jahn war ein unangenehmer Nationalist, sein Poltern gegen den westlichen Nachbarn stieß sogar ihm gewogenen Zuhörern zuweilen unangenehm auf. Andererseits plädierte er öffentlich für eine Ausweitung der Bürgerrechte und war Mitinitiator des Wartburgfestes von 1817. Der Ruf nach Demokratie und deutscher Einheit missfiel der preußischen Obrigkeit. 1819 wurde das organisierte Turnen verboten und Jahn für fünf Jahre inhaftiert. Ab 1825 lebte er sodann unter Polizeiaufsicht in Freyburg.

Seine Rehabilitierung fand ihren Höhepunkt mit der Berufung in die Frankfurter Nationalversammlung. Aber der Jahn von 1848 war ein anderer. Die politische Turnbewegung war ihm längst zu punkig-progressiv geworden, er engagierte sich nun für ein preußisches Erbkaisertum. Jahns Wahlspruch für die Turnerschaft ist bis heute Teil des deutschen Wortschatzes. Aber schon zu Lebzeiten wehrte sich der »Turnvater« gegen die Umstellung des Mottos, das da ursprünglich gelautet hatte: »Frisch, frei, fröhlich, fromm«.

Und heute? Eines von vielen Denkmälern steht auf der Berliner Hasenheide. In Freyburg findet man auch die Friedrich-Ludwig-Jahn-Erinnerungsturnhalle von 1894 (Ecke Schützen-/Oberstraße). | **Adresse** Jahn-Museum: Schloßstraße 11, 06632 Freyburg a. d. Unstrut, www.jahn-museum.de (April–Okt. Di–So 10–17, Nov.–März Di–Sa 10–16 Uhr) | **Bild oben** Jahn nach F. L. Heine (um 1820) | **Bild unten** Jahns Erinnerungsturnhalle in Freyburg

60_ Franz Kafka
Einsam und einzigartig

Er entstammte einer mittelständischen jüdischen Kaufmanns-familie, durchlief eine recht unaufgeregte Ausbildungszeit und arbeitete anschließend von 1908 bis 1922 bei der halbstaatlichen »Arbeiter-Unfallversicherungs-Anstalt für das Königreich Böhmen«. Posthum jedoch avancierte er zu einem der wirkungsmächtigsten deutschsprachigen Autoren der Literaturgeschichte.

Ob Franz Kafka nun eher Tscheche, Österreicher oder Deutscher war, sei dahingestellt. Heimisch fühlte er sich am ehesten in der deutschen Sprache. Seine Erzählungen fesseln heranwachsende und erfahrene Leser, Laien und Literaturwissenschaftler gleichermaßen. Mit geradezu gelassener Selbstverständlichkeit präsentiert er zu Herzen gehende Horrormärchen wie die des Gregor Samsa (»Die Verwandlung«, 1912), der über Nacht zu einem Käfer ward. Hier ist die menschliche Kreatur, die Seele so nackt wie kaum woanders in der Literatur. Und wenn Herrn K. »Der Prozess« (1914) gemacht wird, dann weiß man mit dem ersten Satz, dass hier eine faschistische Maschinerie zugegriffen hat, die ihre Klauen bis zum bitteren Ende nicht mehr lösen wird.

Wer Kafkas persönliche Aufzeichnungen, die Briefe und Tagebücher liest, entdeckt dahinter einen von Selbstzweifeln zerfressenen Menschen, der einem durchaus auf die Nerven gehen kann mit seiner lethargischen Grübelei. Aber auch hier stößt man auf bittere Perlen wie den nie abgeschickten »Brief an den Vater« (1919): der ewige Vater-Sohn-Konflikt, auf die Spitze getrieben von einem um (Selbst-)Achtung ringenden 36-Jährigen, der seit zwei Jahren an Tuberkulose leidet und nicht mehr lange zu leben hat. Dass die Nachwelt Kafka überhaupt lesen darf, verdankt sie einer finalen Verweigerung seines Freundes Max Brod. Der Autor hatte ihn testamentarisch angewiesen, die literarische Hinterlassenschaft »restlos und ungelesen zu verbrennen«.

Und heute? In Berlin-Steglitz, wo er 1923 lebte, hängt eine Gedenktafel. Sein Museum, sein Grab und weitere Gedenkorte findet man in seiner Heimatstadt Prag. Die berühmteste von zahlreichen Verfilmungen ist »Der Prozess« von Orson Welles mit Anthony Perkins, Jeanne Moreau und Romy Schneider (1962). | **Adresse** Gedenktafel: Grunewaldstraße 13, 12165 Berlin; Kafka-Museum: Cihelná 2b, 11800 Prag-Kleinseite, www.kafkamuseum.cz (täglich 10 – 18 Uhr) | **Bild oben** Kafka als junger Mann | **Bild unten** Kafkas Wohnhaus in Steglitz

61 Immanuel Kant

Was du nicht willst, das man dir tu ...

Das heutige Deutschland hat Immanuel Kant nie betreten. Reisen vermied er nach Möglichkeit, es sei denn, es ging um intellektuelle Ausflüge. Stattdessen blieb er zeitlebens seiner Heimat treu: Kaliningrad an der russischen Ostsee. Bis zum Ende des Zweiten Weltkriegs hieß diese Stadt Königsberg, und zu Kants Zeiten war sie preußisch. Hier wuchs der einflussreichste Philosoph deutscher Sprache auf, besuchte die Universität und veröffentlichte schließlich seine ersten Schriften. Mehrere Angebote renommierter Universitäten schlug er aus und übernahm stattdessen den heimischen Lehrstuhl eines Professors für Logik und Metaphysik. Nach seinem Tod wurde er neben dem Königsberger Dom begraben, sein 1864 enthülltes Standbild findet sich an der Universität der Stadt.

Obwohl seine Sprache eher verwinkelt als geschliffen daherkam, schrieb Immanuel Kant philosophische Bestseller. Seine 1785 erschienene »Grundlegung zur Metaphysik der Sitten« enthält jenen Satz, der bis heute immer wieder zitiert wird: »Handle nur nach derjenigen Maxime, durch die du zugleich wollen kannst, dass sie ein allgemeines Gesetz werde.« Der kategorische Imperativ, wie Kant seine ethischen Hauptprinzipien taufte, klang einigen Kritikern ein wenig zu rigide. Und er mag auch manche späteren Erkenntnisse der Psychologie nicht berücksichtigen. Aber in seiner populären Fassung wird deutlich, welche Chancen für das zwischenmenschliche Zusammenleben er birgt: Was du nicht willst, das man dir tu, das füg auch keinem andren zu.

Wer im Absolutismus so dachte, musste früher oder später Ärger bekommen. Auch Immanuel Kant warfen die preußischen Zensurbehörden so manchen Knüppel zwischen die schreibenden Finger. Was ihn nicht davon abhielt, in seinem Traktat »Zum ewigen Frieden« (1795) die Vision eines gewaltfreien Weltenbundes zu entwerfen. Seine letzten Worte lauteten angeblich: »Es ist gut!«

Und heute? In Deutschland findet man Kant-Büsten unter anderem im Berliner Bode-Museum und in der Hamburger Kunsthalle. Mit seinem Lebensweg beschäftigt sich das Museum Stadt Königsberg. | Adresse Museum Stadt Königsberg: Johannes-Corputius-Platz 1, 47051 Duisburg, www.museumkoenigsberg.de (Di–Do, Sa 10–17, Fr 10–14, So 10–18 Uhr); Bode-Museum: Am Kupfergraben, 10117 Berlin, www.smb.museum (Di, Mi, Fr–So 10–18, Do 10–20 Uhr); Hamburger Kunsthalle: Glockengießerwall, 20095 Hamburg, www.hamburger-kunsthalle.de (Di, Mi, Fr–So 10–18, Do 10–21 Uhr) | Bild Kant-Porträt von Gottlieb Doebler (1791)

62 Karl der Große

Der erste Europäer

Die Muttersprache Karls war vermutlich ein romanisch durchsetztes Moselfränkisch. Außerdem konnte er fließend Latein. Lesen hingegen lernte er wohl erst als Erwachsener, und mit dem Schreiben tat er sich so schwer, dass selbst seine Unterschrift von den Hofgelehrten vorbereitet wurde. Aber dieses sogenannte Karlssiegel, bestehend aus den zum Kreuz geformten Buchstaben K - A - R - O - L - U - S, machte Schule. Im Grunde steht es als Pars pro Toto für Karls Einfluss auf die Entwicklung jenes Territoriums, das wir heute Europa nennen. Die karolingische Minuskel, wie man des Siegels Schrift nennt, ist eine Entwicklung des 8. Jahrhunderts. Ob sie in Aachen entstand, weiß man nicht. Aber sicher ist, dass sie durch die dortige Hofschule und deren Schriftwerke verbreitet wurde. Karl der Große einte Europa (jedenfalls einen großen Teil davon) durch Kriege, aber zugleich auch durch eine Bildungsoffensive sondergleichen. Und die karolingische Minuskel wurde zur Basis der abendländischen Einheitsschrift unserer Tage.

Aachen, heute die westlichste Stadt Deutschlands, lag zu Karls Zeiten recht günstig – ein wenig nördlich vom Zentrum des Riesenreiches. Die meisten mittelalterlichen Herrscher waren »Reisekaiser« – sie besaßen keinen festen Wohnsitz, jagten von Pfalz zu Pfalz und Gefecht zu Gefecht. Karl hingegen hatte sich in Aachen eine echte Heimat geschaffen. Ab 794 lebte er fast ununterbrochen dort, nicht zuletzt wegen der heißen Thermalquellen, die er täglich besuchte. Und als er am 28. Januar 814 starb, wurde er im eigenen Hause begraben: in der von ihm errichteten Marienkirche, dem Aachener Dom.

In spannendem Kontrast stehen heute die beiden wertvollsten Reliquien des Doms zueinander: unten der prachtvolle Schrein mit Karls Gebeinen und oben im Hochmünster der vollkommen schnörkellose, aus vier Marmorplatten gefertigte Thron.

Und heute? Das 2014 eröffnete »Centre Charlemagne«, zwischen Dom und Rathaus gelegen, beschäftigt sich mit der Geschichte Aachens und Karls des Großen. | Adresse Aachener Dom: Domhof 1, 52062 Aachen, www.aachendom.de (April–Dez. täglich 7–19, Jan.–März 7–18 Uhr); Centre Charlemagne: Katschof 1, 52062 Aachen, www.centre-charlemagne.eu (Di–So 10–18 Uhr) | **Bild oben** Karl der Große, gemalt von Albrecht Dürer (1512) | **Bild unten** Der Karlsschrein im Aachener Dom

63 — Johannes Kepler
Mathematiker, Optiker und Astronom

Der spätere Sternenkundler entstammte einer verarmten Familie und galt als schwächliches Kind. Mit vier Jahren schädigte eine Pockenerkrankung sein Augenlicht. Das Auftauchen des Großen Kometen 1577 und die Mondfinsternis drei Jahre darauf weckten Keplers Interesse an Optik und Sternenkunde. Später sollte er maßgeblich zur Entwicklung des Fernrohrs beitragen.

Erste Arbeiten zur Kosmologie stammen aus seiner Zeit als Dozent in Graz. Kepler propagierte das heliozentrische Weltbild des Kopernikus (siehe Seite 138) und stand in Kontakt mit den führenden Vertretern seiner Zunft: Galileo Galilei und Tycho Brahe, der ihm 1600 eine Anstellung in Prag verschaffte. Dort stieg Kepler zum kaiserlichen Hofmathematiker auf und begann seine Arbeiten zur Korrektur der kopernikanischen Planetenlaufbahnen. In seiner »Astronomia nova« beschrieb er diese erstmals als elliptisch statt rund und begründete das mit Formeln, die als die drei Keplerschen Gesetze in die Astronomiehistorie eingehen sollten. Wer sie ein wenig verstehen will, für den hängt im Kepler-Museum zu Regensburg eine hübsch animierte Schautafel.

Johannes Keplers Interessen waren breit gestreut. Er veröffentlichte eine Monografie über die Schneeflocke und erfand eine Pumpe zur Entwässerung von Bergwerksstollen. Seine umwälzenden Arbeiten zu den Planetenbahnen ebneten den Weg für die modernen Naturwissenschaften, aber davon profitiert hat er zeitlebens nicht. Nach der Übersiedlung gen Linz 1612 häuften sich finanzielle und familiäre Probleme. Seine Kinder zwang man in den katholischen Gottesdienst, die Mutter wurde der Hexerei bezichtigt und gefoltert. Zwischen 1627 und 1630 fand er in General Wallenstein, Oberbefehlshaber der kaiserlichen Armee im Dreißigjährigen Krieg, einen geneigten Förderer. Nach dessen Absetzung übersiedelte Kepler nach Regensburg, wo er wenige Monate später an einem Fieberanfall starb.

Und heute? Nach Johannes Kepler sind diverse Sternwarten und Himmelskörper benannt. Denkmäler stehen unter anderem in Weil der Stadt, Graz und Regensburg. | Adresse Kepler-Gedächtnishaus: Keplerstraße 5, 93047 Regensburg, www.regensburg.de (Sa und So 10.30–16 Uhr); Kepler-Museum: Keplergasse 2, 71263 Weil der Stadt, www.kepler-museum.de (Do, Fr 10–12 und 14–16, Sa 11–12 und 14–16, So 11–12 und 14–17 Uhr) | Bild oben Kepler um 1610 | Bild unten Im Kepler-Gedächtnishaus Regensburg

64_ Robert Koch

Cholera, Pest, Malaria & Co.

Robert Koch entstammte einer Bergmannsfamilie aus dem Harz. Als Kind träumte er davon, naturwissenschaftliche Expeditionen wie Alexander von Humboldt (siehe Seite 122) zu unternehmen. Aber Koch wurde stattdessen Mediziner, und seine Entdeckungstouren fanden zunächst in Viehställen und Labors statt. Was er in diesen begrenzten Räumen leistete, veränderte die Welt jedoch noch stärker als die Erkenntnisse seines Vorbildes. Bis 1883 spürte Robert Koch die Erreger von Milzbrand, Tuberkulose und Cholera auf. Acht Jahre später wurde aus dem einfachen Landarzt der Leiter des Berliner Instituts für Infektionskrankheiten, das heute nach ihm benannt ist und schon 1910 ihm zu Ehren ein Museum eingerichtet hat. Nun mit ansehnlichen finanziellen Mitteln ausgestattet, kam Koch doch noch dazu, die Welt kennenzulernen. Forschungsreisen führten seinen Stab nach Japan, Indien, in die USA und verschiedene Länder Afrikas. Dabei landeten die Erreger von Pest, Malaria und Schlafkrankheit unter seinem Mikroskop.

Das Aufspüren von gefährlichen Bakterien ist das eine, die Bekämpfung der durch sie verursachten Krankheiten das andere. Auf diesem Gebiet jedoch war ihm sein französischer Konkurrent Louis Pasteur deutlich voraus. Kochs 1890 vorgestellter Tuberkulose-Impfstoff erwies sich sogar als gefährlicher Flop, der die Infektion noch verstärken konnte.

Jenseits der konkreten Erfolge ist es Robert Kochs größtes Verdienst, die Bedingungen zur Erforschung von Bakterien entscheidend verbessert zu haben. Er entwickelte haltbare Nährböden für die Züchtung und trieb die Mikrofotografie seiner Zeit voran, um Erregerkulturen studieren zu können. 1905 erhielt er für seine Arbeiten zur Tuberkulose den Medizin-Nobelpreis. Gezeichnet von diversen Tropenkrankheiten, starb er 1910 in Baden-Baden. Seiner Urne baute man im Berliner Robert-Koch-Institut ein eigenes Mausoleum.

Und heute? Im Institut der Charité finden sich der Robert-Koch-Lesesaal und die Robert-Koch-Bibliothek. Er wurde vielfach als Schulpate, auf Briefmarken und Münzen verewigt. Figürliche Denkmäler stehen vor der Charité sowie vor seinem Wohnhaus in Clausthal. | **Adresse** Museum/Mausoleum im Robert-Koch-Institut: Nordufer 20, 13353 Berlin, www.rki.de (Mo 10–16 Uhr oder per Voranmeldung, siehe Website) | **Bild oben** Robert Koch im Jahr 1908 | **Bild unten** Kochs Mausoleum im Robert-Koch-Institut Berlin

65 Nikolaus Kopernikus

Ein einflussreicher Hobbyastronom

Nikolaus Kopernikus hatte deutschsprachige Eltern. Sowohl sein Geburtstort Thorn/Torun als auch seine Wirkungsstätte Frauenburg/Frombork gehören allerdings heute zu Polen und unterstanden ab 1467 als preußische Orte der polnischen Krone. Die Frage, ob er folglich Pole oder Deutscher sei, verblasst jedoch angesichts seiner gesamteuropäischen Wirkung. Denn zusammen mit den späteren Johannes Kepler (siehe Seite 134) und Galileo Galilei gehörte Kopernikus zu den Pionieren der astronomischen Neuzeit.

Der Himmel mit seinem Firmament war zu Kopernikus' Zeiten noch ein Revier, über das ausschließlich die Kirche herrschte. Und die sagte: Im Zentrum des Universums steht die Erde, alles andere ordnet sich in Schalen um sie herum. Kopernikus jedoch setzte dem auf Ptolemäus zurückgehenden geozentrischen Weltbild eine zwar nicht ganz neue, aber lange verschüttete Theorie entgegen. Die dem bisherigen Modell widersprechenden Planetenbewegungen ließen sich ganz einfach erklären, wenn man die Sonne in den Mittelpunkt stellte. Kopernikus arbeitete ab 1510 als Domherr in Frauenburg an der Ostsee, außerdem war er mit ärztlichen und bürokratischen Aufgaben betraut. Die Astronomie betrieb er lediglich in seiner Freizeit, von seiner privaten Sternwarte aus. Als 1543 sein weltbewegendes Buch »De Revolutionibus Orbium Coelestium« erschien, war er bereits dem Tode nahe. Aber in Rom horchte man auf. Mit dem heliozentrischen Weltbild tat man sich zwar noch lange so schwer, dass etwa Galilei seine Erkenntnisse unterdrücken musste. Aber Kopernikus' Berechnungen zum schon lange aus dem Takt geratenen julianischen Kalender kamen der Kurie entgegen. 1582, 39 Jahre nach dem Tod des einflussreichen Hobbyastronomen, läutete Papst Gregor VIII. die bis heute gültige Reform ein. Um das echte Sonnenjahr wieder »einzuholen«, drehte man die Uhren kräftig nach vorn: Auf den 4. folgte am nächsten Morgen der 15. Oktober.

Und heute? In Thorn/Toruń und Frauenburg/Frombork findet man jeweils ein Museum sowie ein Denkmal des Astronomen. Eine Büste steht in der Regensburger Walhalla. | **Adresse** Kopernikushaus Thorn/Toruń: Ulica Kopernika 15/17, 87−100 Toruń, www.visittorun.pl (Okt.−April Di−So 10−16, Mai−Sept. Di−So 10−18 Uhr; Kopernikus-Museum Frauenburg/Frombork: Ulica Katedralna 8, 14-530 Frombork, www.frombork.art.pl (Di−So 9−16.30 Uhr) | **Bild oben** Kopie eines Kopernikus-Porträts von 1575 | **Bild unten** Kopernikus-Turm in Frauenburg, Sternwarte des Astrologen

66 Alfred Krupp
Der Herr der Villa Hügel

Schon der allererste Essener Krupp, Arnold, handelte unter anderem mit Eisenwaren. Um 1600 herum war das, nachdem die Familie ihre alten Zelte in den Niederlanden abgebrochen hatte. Mit der Gründung einer Gussstahlfabrik im Jahr 1811 begann dann der Einstieg ins Industriezeitalter. Nicht zuletzt war dies die Keimzelle für jenes Revier, das man später Ruhrgebiet – oder schlichter: Pott – nennen sollte. Aber schon in den 1820er Jahren wäre es beinahe vorbei gewesen mit dem Kruppstahl. Die Firma war so gut wie bankrott, als 1826 mit Alfred der bedeutendste aller Krupps auf den Plan trat. Gerade 14 Jahre alt, unterstützte er bereits seine Mutter Therese und den kranken Vater bei der Sanierung. Der Mann ohne Schulabschluss stieg Mitte des Jahrhunderts zum alleinigen Inhaber auf. Unter seiner Ägide verwandelte sich der marode Betrieb in ein Großunternehmen mit 20.000 Beschäftigten. Krupps größter Helfer dabei: die industrielle Revolution, die ihm die Türen auch zu den internationalen Märkten öffnete. Während ihm seine innovativen Rüstungsgüter den Beinamen »Kanonenkönig« einbrachten, diente die Erfindung des nahtlosen Eisenbahnreifens eher friedlichen Zwecken. Der weltweite Exportschlager schmückt bis heute das Krupp'sche Firmenlogo: drei ineinander verschlungene Ringe. Alfred Krupp galt als Patriarch, mal gerecht, mal selbstgerecht, sein manischer Arbeitsfuror wurde zuweilen von depressiven Phasen unterbrochen. Was Qualität anging, kannte er keine Kompromisse: »Ordinär arbeiten ist gegen meine Neigung«, so lautete sein Credo. Es zahlte sich aus. Die Krupps wuchsen zu einer der bedeutendsten Unternehmerdynastien der deutschen Geschichte heran. Ab 1873 residierte die Familie in einem pompösen, schlossähnlichen Anwesen: der Villa Hügel mit ihren auf über 8.000 Quadratmeter verteilten 269 Zimmern. 14 Jahre später starb Alfred Krupp dort an einem Herzinfarkt.

Und heute? Die Villa Hügel ist öffentlich zugänglich, im linken Seitenflügel wurde ein Museum zur Familiengeschichte eingerichtet. | **Adresse** Villa Hügel, 45133 Essen, www.villahuegel.de (Di–So 10–18 Uhr) | **Bild oben** Krupp-Porträt (Ende 19. Jh.) | **Bild unten** Die Villa Hügel

67 Gotthold Ephraim Lessing

... und sein weiser Nathan

Für die Schlüsselszene seines bekanntesten Theaterstücks schuf Lessing eine Variante der schon durch Boccaccio bekannten Ringparabel. Als der muslimische Sultan dem jüdischen Nathan die Frage stellt, welche Religion die einzig wahre sei, erzählt dieser von einem Vater, der seine drei Söhne alle gleichermaßen liebt und der im Besitz eines Rings ist, der den Eigentümer beliebt macht. Von diesem lässt er zwei Duplikate anfertigen. Nach seinem Tod erhält jeder Sohn einen Ring. Welches der »echte« ist, wird unwichtig – Juden, Christen und Moslems stehen einander gleichberechtigt gegenüber.

Gotthold Ephraim wurde 1729 in eine lutherisch-orthodoxe Familie hineingeboren, in der die Bibel mehr galt als jeder Gesetzestext und erst recht als jede literarische Veröffentlichung. Der Junge fiel als überdurchschnittlich intelligent auf, schon mit 17 schrieb er sich in Leipzig für Theologie ein. Seinen Eltern zum Trotz wandte er sich schnell von diesem Fach ab und der Medizin zu. Diese ermöglichte ihm im Rahmen eines Studiums der Sieben Freien Künste den Kontakt zu Poesie und Musik. Zahlreiche Umzüge, unter anderem nach Berlin, brachten ihn in Kontakt mit vielen Künstlern und Intellektuellen seiner Zeit. An der Spree begegnete er auch 1752 dem jüdischen Aufklärer und Philosophen Moses Mendelssohn. Die beiden wurden lebenslange Freunde und Mendelssohn das Vorbild für den weisen Nathan.

Lessings Stück gilt heute als zentraler Text der deutschen Aufklärung, in dem sich Humanismus und (nicht nur religiöse) Toleranz eng verschränken. Geschrieben hat er sein letztes Drama 1778 in Wolfenbüttel, wo er seit 1770 wohnte. Herzog Carl I. von Braunschweig-Wolfenbüttel hatte den seinerzeit bereits berühmten Schriftsteller als Bibliothekar an die nicht minder renommierte Herzog-August-Bibliothek (siehe Seite 18) berufen. 1781 starb er – spät verheiratet und ohne Nachkommen – an einem Hirnschlag.

Und heute? Lessing dient als Namenspate für Museen, Preise, Schulen und über 1.000 Straßen. Denkmäler stehen etwa in Kamenz (Lessingplatz), Berlin (Tiergarten), Braunschweig (Lessingplatz) und Wien (Judenplatz). | Adresse Lessing-Museum Kamenz: Lessingplatz 1–3, 01917 Kamenz, www.lessingmuseum.de (Di–Fr 9–17, Sa, So 13–17 Uhr); Lessinghaus Wolfenbüttel: Lessingplatz 1, 38304 Wolfenbüttel, www.hab.de (Di–So 10–17 Uhr) | Bild oben Lessing-Miniatur nach einem Porträt von Anton Graff (seitenverkehrt, 1772) | Bild unten Das Lessing-Museum Kamenz

68 Justus von Liebig

Dünger, Fleischextrakt und Babynahrung

In Gießen nennen sie ihn ganz unbescheiden den »bedeutendsten Chemiker des 19. Jahrhunderts«. 28 Jahre lang befand sich sein Labor im Wachhaus einer aufgegebenen Kaserne auf dem Seltersberg. Heutzutage gelangt man hier in sein Museum und passiert dabei vor dem Eingang ein fünfteiliges Beet. Das hier gesäte Weidelgras wurde im Rahmen eines Experiments auf unterschiedliche Art gedüngt. Und wo wachsen die Halme am grünsten, dichtesten und höchsten? Natürlich in der nach Liebigs Methoden betreuten Parzelle.

Justus Liebigs Vater vertrieb selbst produzierte Farben, und schon früh entwickelte sein Sohn ein Interesse an chemischen Versuchen. Seine Doktorarbeit »Über das Verhältnis der Mineralchemie zur Pflanzenchemie« veröffentlichte der Hochbegabte bereits mit gerade einmal 19 Jahren. Ein Stipendium ermöglichte ihm die Fortsetzung des Chemiestudiums in Paris, wo er die Koryphäen seiner Zeit kennenlernte. Einer Empfehlung Alexander von Humboldts (siehe Seite 122) hatte er es schließlich zu verdanken, dass er 1825 zum ordentlichen Professor an der Gießener Landesuniversität ernannt wurde. Liebigs Labor war Lehr- und Experimentierstätte zugleich. Gemeinsam mit seinen Studenten und Kollegen entdeckte er die Gesetze der chemischen »Radikalen« und der »Isomerie«: Aus den gleichen Atomen können demnach durchaus verschiedene Stoffe gebildet werden. Die Ergebnisse seiner Forschung flossen in sein Buch von der »Agrikulturchemie« ein, die zu einem Meilenstein der Welternährung werden sollte. War die erste Hälfte des 19. Jahrhunderts noch geprägt von Missernten, Hungersnöten und massenhafter Emigration, so erhöhten Liebigs Erkenntnisse die Ernteerträge um ein Vielfaches. Später in München brachte er zudem den Fleischextrakt, das Backpulver und den Muttermilchersatz für Babys auf den Weg. Kein Wunder also, dass 44 der ersten 60 Chemie-Nobelpreisträger Schüler von Liebig oder dessen Schülern waren.

Und heute? An Liebig erinnert jede Bouillon und jeder Kuchen. Sein Münchner Denkmal steht auf dem Maximiliansplatz. | Adresse Liebig-Museum: Liebigstraße 12, 35390 Gießen, www.liebigmuseum.de (Di–So 10–16 Uhr) | **Bild oben** Liebig um 1866 | **Bild unten Im Liebig-Museum Gießen**

69 Die Loreley

»Ich weiß nicht was soll es bedeuten«

»Ich glaube, die Wellen verschlingen / Am Ende Schiffer und Kahn; / Und das hat mit ihrem Singen / Die Lore-Ley getan« – so lauten die letzten Zeilen von Heinrich Heines »Lied von der Loreley«. Geschrieben hat er dieses Gedicht 1824, und bis zum Ende des Jahrhunderts haben sich über 40 Komponisten an einer Vertonung versucht. Durchsetzen konnte sich schließlich Friedrich Silchers Variante von 1837, die den Grusel der Geschichte an eine sanft wogende Melodie bindet. Die Wellen des Rheins schwappen bei ihm ganz leise und gemächlich ans Ufer, aber umso sicherer schnappen sie sich ihre Opfer. Und schuld daran hat: das Mädchen mit der güldenen Lockenpracht oben auf dem Fels.

Die Legende von der langhaarigen Loreley ist ein typisches Produkt der deutschen Romantik. Nebelschwaden wabern übers Gewässer, Fragezeichen ranken sich um die todbringende Rheintochter. Zugleich jedoch hat man es hier mit einer sehr maskulinen Vorstellung zu tun: Hier agiert eine männerverschlingende Nymphe, die sich selbstverliebt die Haare kämmt, während zu ihren Füßen die Seeleute ertrinken.

»Den Schiffer im kleinen Schiffe / Ergreift es mit wildem Weh; / Er schaut nicht die Felsenriffe, / Er schaut nur hinauf in die Höh«, heißt es bei Heine (siehe Seite 166). Der Mann kam ursprünglich aus Düsseldorf, deshalb wusste er um die Gefahren der Rheinschifffahrt. Wo der Loreleyfelsen den Fluss zu einer scharfen Kurve zwingt, da wird es eng, und da ist es bis heute gefährlich. Vor ihrer Sprengung im letzten Jahrhundert lauerten dort tatsächlich Riffe unter Wasser, die gemeinsam mit einer Sandbank für heikle Verwirbelungen sorgten. Die Kapitäne schlugen vor der Passage dreimal die Glocke, um ihren Matrosen Gelegenheit für ein womöglich letztes Gebet zu geben. Manchmal war der liebe Gott stark genug, um sie sicher durch die Furt zu schleusen. Aber nicht selten siegte die Nixe.

Und heute? Heines/Silchers Lied ist in den deutschen Volksliedschatz eingegangen. Der Mythos wird vor Ort im Loreley-Besucherzentrum aufgearbeitet. | Adresse Loreley-Besucherzentrum: Auf der Loreley (Loreleyplateau), 56346 St. Goarshausen, www.loreley-besucherzentrum.de (April–Okt. täglich 11–17 Uhr) | Bild oben Loreley-Figur von Natasha Alexandrowna Jusoppow auf der Hafenmole unterhalb des Felsens (1983) | Bild unten Blick vom Loreley-Felsen

70 Ludwig II.

Melancholie und Märchenkönig

Auf Gemälden und Fotos wirkt er wie ein jugendlicher Dandy, zugleich klug und zerbrechlich. Wer sich dem Wesen dieses »Märchenkönigs« nähern will, fährt nach Neuschwanstein. Nachdem Ludwig 1867 die Eisenacher Wartburg besichtigt hatte, begann in ihm ein Plan zu reifen: Ein Bau im »echten Styl der alten deutschen Ritterburgen« stand ihm vor Augen. Auf einem steilen Felsen oberhalb seines Familienschlosses Hohenschwangau machte er sich daran, seine Vision zu verwirklichen. Am greifbarsten wird Ludwigs Weltentrücktheit auf dem Weg von seinem geplanten Wohn- zum Arbeitszimmer. Denn da steht man unversehens in einer kleinen, komplett künstlichen Grotte. Stalagtiten und Stalagmiten schmücken Decke und Boden, ursprünglich sprudelte dort sogar ein kleiner Wasserfall. Und um die Illusion perfekt zu machen, illuminierte eine Regenbogenmaschine diese magischmanierierte Tropfsteinhöhle. Wer hier eintritt, für den rücken die Amtsgeschäfte im Nebenraum in sehr weite Ferne.

Geboren wurde der Bayernkönig als Ludwig Otto Friedrich Wilhelm von Wittelsbach. Aus seiner äußerst strengen Kinderstube flüchtete er schon früh in die Welt der Poesie. Ludwig schrieb bereits mit acht Jahren Gedichte, er las Schillers Dramen und sah mit 15 seine erste Oper von Richard Wagner, der sein Leitstern werden sollte. Die Höhle von Neuschwanstein ist denn auch der Venusgrotte der thüringischen Hörselberge nachempfunden, die Wagner zu seinem »Tannhäuser« inspiriert hatte.

Sein Leben schwankte zwischen Exzentrik und Irrsinn, und seinen Tod umschleiert der Nebel des Starnberger Sees. Am 8. Juni 1886 hatte man ihn entmündigt, fünf Tage später brach er zu einem Abendspaziergang am Seeufer auf. Seine Leiche fand man im seichten Wasser, keine 25 Meter vom Land entfernt. Ob der König ertrank oder ermordet wurde, ist bis heute ungeklärt. Märchenhaft, nein, gruselmärchenhaft.

Und heute? Die unter Ludwig gebauten Schlösser Neuschwanstein, Herrenchiemsee und Linderhof können besichtigt werden. | Adresse Neuschwanstein: 87645 Hohenschwangau, www.neuschwanstein.de (19. März–15. Okt. 9–18, 16. Okt.–18. März 10–16 Uhr) | Bild oben Ludwig-Porträt von Ferdinand von Piloty (1865) | Bild unten Schloss Neuschwanstein

71 Ludwig der Deutsche

Ein ostfränkischer Wegbereiter

Seinen Beinamen »der Deutsche« trägt er erst seit dem 18. Jahrhundert. Wesentlich gefestigt wurde er durch nationalsozialistische Historiker, und manche ihrer demokratischen Nachfahren sind dazu übergegangen, ihn gänzlich wegzulassen. So oder so – dieser Enkel Karls des Großen hat die historische Entwicklung Deutschlands infolge des 843 geschlossenen Vertrages von Verdun stark geprägt. Damals beschlossen die drei Söhne von Ludwig dem Frommen, das riesige Frankenreich unter sich aufzuteilen. Karl der Kahle erhielt den westlichen Teil, aus dem das heutige Frankreich hervorgehen sollte. Lothar beanspruchte ein schmales, schon 855 wiederum aufgeteiltes Mittelreich für sich. Und Ludwig bekam die östlichen Ländereien zuerkannt, die er sodann ganze 33 Jahre regieren sollte und die als Ursprung des »Heiligen Römischen Reiches (deutscher Nation)« gelten. Im Wesentlichen umfasste sein Herrschaftsbereich jenes Gebiet, das man heute Deutschland nennt.

Schon zu Lebzeiten der Brüder begann der Zwist zwischen den Nachbarländern, der sich durch das nächste Jahrtausend ziehen sollte. Im Herbst 858 fiel Ludwig in das Westreich ein, musste sich jedoch bereits im folgenden Winter wegen eigener Grenzprobleme im Osten wieder zurückziehen. Der Misserfolg schwächte seine Stellung, nicht zuletzt hatte er sich der Putschversuche seiner eigenen Söhne Ludwig und Karl zu erwehren. Kurz vor seinem Tod musste er auch noch hinnehmen, dass ihm die angestrebte Kaiserkrönung vor der Nase von seinem westfränkischen Bruder weggeschnappt worden war.

Die Quellen zu Ludwigs Leben legen nahe, dass er sich bevorzugt im Rhein-Main-Revier aufhielt. Frankfurt wurde sein Herrschaftszentrum, und das seinerzeit bedeutende Benediktinerkloster im hessischen Lorsch bestimmte er als Grablege seiner neuen ostfränkischen Dynastie. Hier wurde er 876 auch beigesetzt.

Und heute? Vom ehemaligen Kloster in Lorsch ist die zu Ludwigs Zeiten erbaute Torhalle erhalten. Ludwigs vermeintlicher Sarkophag steht heute im Lorscher Museumszentrum unmittelbar neben den Überresten des Klosters. | **Adresse** Museumszentrum MUZ: Nibelungenstraße 35, 64653 Lorsch, www.kloster-lorsch.de (Di–So 10–17 Uhr) | **Bild oben** Ein König, eventuell Ludwig, kniet vor dem Kreuz Christi (Ludwigspsalter, 9. Jahrhundert) | **Bild unten** Die Torhalle in Lorsch

72 Martin Luther
95 Thesen, 1 Übersetzung

Wir werden als Sünder geboren, wir sterben als Sünder, und unser Seelenheil hängt einzig und allein von der Gnade Gottes ab: Martin Luthers Credo klingt in aufgeklärten Ohren arg fundamentalistisch. Dennoch gibt es diverse Gründe, ihn in einen Kanon deutscher Berühmtheiten aufzunehmen. Seinen Platz in der Geschichte eroberte er am 31. Oktober 1517. Laut seinem Freund Philipp Melanchthon (siehe Seite 162) marschierte der gerade 34 gewordene Doktor der Theologie zur Wittenberger Schlosskirche und nagelte dort ein Papier an die Tür. Seine 95 Thesen richteten sich formal gegen das unsägliche Ablasswesen – gegen Zahlung einer entsprechenden Summe wurden den Gläubigen ihre Sünden erlassen. Im Nachhinein jedoch markiert Luthers Schritt den Auftakt zur Reformation, mithin die Spaltung der bis dahin allmächtig regierenden katholischen Kirche.

Luther zahlte den Preis für seine Ketzerei. Man schlug ihn in Acht und Bann, der Mann war »vogelfrei«, jeder hätte ihn ungestraft töten dürfen. 1521 floh er auf die Wartburg, wo er ein knappes Jahr unter dem Decknamen »Junker Jörg« verbrachte. Damit ihm dort oben nicht langweilig wurde, übersetzte er das Neue Testament ins Deutsche. Die nur elfwöchige Arbeit setzte einen weiteren historischen Meilenstein. Endlich erschloss sich die Bibel auch dem Nichtlateiner, und das farbig-kraftvolle Lutherdeutsch wurde zum Vorbild des Neuhochdeutschen. Wie hart und zugleich virtuos er an seiner Übertragung arbeitete, belegt die Ausstellung im Luther-Haus von Eisenach, wo er 1498 bis 1501 gewohnt haben soll. Chronologisch aufeinanderfolgende Textentwürfe verdeutlichen, dass so eine Übersetzung aus dem Altgriechischen und -hebräischen ein komplizierter Transformations- und Abschleifungsprozess ist. Von der ersten, wortwörtlichen Übertragung gelangte er über mehrere Stufen zu jener Endfassung der Lutherbibel, wie wir sie heute kennen.

Und heute? Museen existieren in Eisleben und Wittenberg. Auf der Wartburg ist sein Arbeitszimmer, die Lutherstube, erhalten. | **Adresse** Luther-Geburtshaus Eisleben: Lutherstraße 15, 06295 Eisleben, www.martinluther.de (April–Okt. täglich 10–18, Nov.–März Di–So 10–17 Uhr); Lutherhaus Wittenberg: Collegienstraße 54, 06886 Wittenberg, www.martinluther.de (April–Okt. täglich 9–18, Nov.–März Di–So 10–17 Uhr); Wartburg: Auf der Wartburg 1, 99817 Eisenach, www.wartburg-eisenach.de (April–Okt. täglich 8.30–17, Nov.–März 9–15.30 Uhr) | **Bild oben** Porträt von Lucas Cranach d. Ä. (1528) | **Bild unten** Luther-Denkmal in Wittenberg

73__ Rosa Luxemburg

Die Freiheit der Andersdenkenden

An ihrem Grab wird es regelmäßig am zweiten Sonntag im Januar voll. Dann pilgern Linke aller Facetten zur Berliner Gedenkstätte der Sozialisten. Der zu DDR-Zeiten eingeweihte Ehrenfriedhof vereint Hunderte Tote, aber Luxemburg und ihr Mitstreiter Karl Liebknecht belegen die zentralen Plätze direkt unter dem Denkmalstein. Ob jedoch alle, die da eine rote Nelke ablegen, mit Rosa Luxemburg glücklich geworden wären, ist zu bezweifeln.

Die aus einer jüdischen Kaufmannsfamilie stammende Rozalia Luksenburg hatte sich bereits in die Russische Revolution ab 1905 massiv eingebracht. Drohungen, Verhaftungen und mehrjährige Gefängnisstrafen konnten ihren Überzeugungen nichts anhaben. Sie wollte die Revolution – »mit allem, was sie bringt«. Zugleich jedoch wandte sie sich stets gegen entfesselte Gewalt, ohne die solche Umwälzungen kaum zu haben sind. Niemand interpretierte Marx' Kapital so hellsichtig wie die seit 1897 promovierte Volkswirtin und brillante Rednerin. Aber ihre eigenen Vorstellungen zur postrevolutionären Gesellschaft blieben diffus. Sehr deutlich wiederum kritisierte sie die Parteidiktatur der Bolschewiki nach 1917. In diesem Zusammenhang fiel dann auch jener Satz, der wegen seiner tiefen Humanität immer wieder zitiert wird: »Freiheit ist immer die Freiheit der Andersdenkenden.«

In Deutschland erfüllten weder die Novemberrevolution 1918 noch der anschließende Spartakusaufstand die Hoffnungen der radikalen Linken. Nicht zuletzt die SPD um Friedrich Ebert bekämpfte sie mit allen Mitteln. Liebknecht und Luxemburg wurden am 15. Januar 1919 von einer Bürgerwehr aufgespürt. Die kleine Frau wurde verhört, misshandelt und schließlich von Freikorpsleuten erschossen. Der Presse gegenüber ließ man verlauten, Luxemburg sei »von der Menge getötet« worden. Ihre achtlos in den Landwehrkanal geworfene Leiche fand man erst vier Monate später an einer Schleuse.

Und heute? Gedenktafeln findet man unter anderem am Landwehrkanal/Katharina-Heinroth-Ufer nahe der Lichtensteinbrücke (wo man ihre Leiche abwarf) und am Standort des ehemaligen Frauengefängnisses an der Weinstraße 2 in Berlin-Friedrichshain (wo sie inhaftiert war). | Adresse Gedenkstätte der Sozialisten: Zentralfriedhof Friedrichsfelde, Gudrunstraße 20, 10365 Berlin-Lichtenberg, www.sozialistenfriedhof.de (Feb.–Nov. ab 7.30, Dez. und Jan. ab 8 Uhr, jeweils bis zur Dämmerung) | Bild oben Rosa Luxemburg im Jahr 1915 | Bild unten Die Gedenkstätte der Sozialisten

74_ Thomas Mann
Der Zauberer

Thomas Mann war nicht nur ein großer Schriftsteller, er hat auch Haltung bewiesen. Während sich viele seiner Kollegen mit den Nazis arrangierten oder in die »innere Emigration« verabschiedeten, kehrte er Deutschland samt Familie entschlossen den Rücken. Schon 1930 hatte er angesichts der Wahlgewinne der NSDAP seine aufsehenerregende »Deutsche Ansprache – Ein Appell an die Vernunft« gehalten. Zunächst in der Schweiz und ab 1938 schließlich von den USA aus wurde er zum Wortführer der Exilschriftsteller. Sein Verhältnis zum Heimatland blieb auch nach dem Krieg gespalten. Als er die USA der McCarthy-Ära wieder verließ, zog er Zürich seiner Heimatstadt Lübeck vor. Am Zürichsee starb er 1955, und dort liegt er auch begraben.

Bereits 1929 hatte Mann den Nobelpreis für Literatur erhalten. Vielfach überliefert ist, dass er diese höchste – und höchstdotierte – aller Auszeichnungen mit mindestens einem weinenden Auge entgegennahm. War doch in der Begründung des Komitees fast ausschließlich von den »Buddenbrooks« die Rede, während man den »Zauberberg« verschmähte. Tatsächlich ist Ersterer das erstaunlichere Stück Weltliteratur. Die ausschweifende Chronik einer Lübecker Kaufmannsfamilie veröffentlichte Mann mit gerade einmal 26 Jahren – manch anderer ringt da noch mit seinem Magister, anstatt einen 1.000-Seiten-Roman zu schreiben.

Seine eigene Familiengeschichte wurde 2001 erfolgreich verfilmt. Heinrich Breloers Dreiteiler »Die Manns – Ein Jahrhundertroman« konnte sich dabei auf die höchst individuellen Charaktere dieses außergewöhnlichen Clans verlassen. Wie Thomas wurden auch Bruder Heinrich sowie die Kinder Erika, Klaus und Golo Schriftsteller. In ihrem Kreis trug Patriarch Thomas einen Spitznamen, der laut Erikas Memoiren nach einem Kostümfest an ihm hängen geblieben war. An Zufall will man jedoch nicht glauben, wenn man ihn hört: der Zauberer.

Und heute? Thomas Mann lebt in seinen Büchern fort. Leben und Werk spiegelt das Museum Buddenbrookhaus. | **Adresse** Buddenbrookhaus: Mengstraße 4, 23552 Lübeck, www. buddenbrookhaus.de (Jan.–15. Feb. Di–So 11–17, 16. Feb.–März täglich 11–17, April–Dez. täglich 10–18 Uhr) | **Bild oben** Thomas Mann um 1900 | **Bild unten** Das Lübecker Buddenbrookhaus

75 Karl Marx

»Proletarier aller Länder, vereinigt euch!«

Im heute nach ihm benannten Museum an der Trierer Brücken-straße wurde Karl Marx 1818 geboren. Zwei Jahre zuvor war sein Vater vom Judentum zum Protestantismus übergetreten. Nicht aus Überzeugung, sondern um seine während der Franzosen-herrschaft eröffnete Anwaltskanzlei auch unter preußischer Ägi-de weiterführen zu können. Nach seinem Abitur studiert auch Sohn Karl zunächst Jura, promovierte 1841 jedoch in Philoso-phie. Während seiner Berliner Universitätsjahre hatte er sich den Linkshegelianern angenähert (siehe Seite 114), einer seinerzeit angesagten Bewegung junger Dialektiker. Aber schon bald da-nach waren ihm deren Gedanken nicht mehr handfest genug. Mit Hegels »Weltgeist« konnte Marx nichts anfangen, ihm ging es um direkte, materielle Transformation der Verhältnisse. Aber auch mit allzu aufgeregten Aktivisten tat er sich schwer und steu-erte die Revolution lieber von der Redaktionsstube aus. Zweimal, 1842 und '48, versuchte er in Köln eine radikal-revolutionäre Zei-tung zu etablieren. Beide Male wurde sie nach wenigen Monaten von der preußischen Zensurbehörde verboten.

Marx' politischer Ökonomie zufolge geht – kurz gesagt – die Schere zwischen Arm und Reich stetig auseinander. Der Kapita-lismus zerfällt von innen heraus, es kommt zu Überproduktion auf der einen und Verelendung des Proletariats auf der anderen Seite. Die Folgen: Die Massen werden sich erheben, die Expro-priateure expropriieren und schließlich eine totale gesellschaftli-che Neuordnung namens Kommunismus auf den Weg bringen.

Die Ideen von Marx und Spannmann Engels erleben in Zeiten globaler Armuts- und Kriegskatastrophen regelmäßig Renais-sancen. Marx selbst hatte schon die erste große Blüte seiner Welt-anschauung nicht mehr persönlich erlebt. Bevor sich gegen Ende des 19. Jahrhunderts zahlreiche europäische Linksparteien dem Kommunismus verschrieben, starb er 1883 im Londoner Exil.

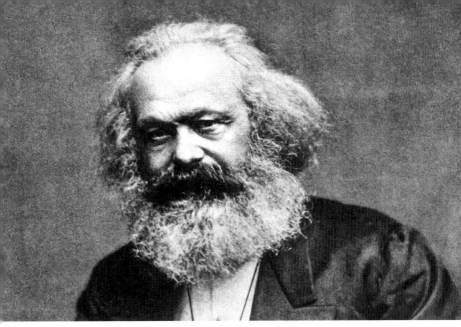

Und heute? In Chemnitz steht noch eines der imposantesten Denkmäler aus DDR-Zeiten: das Karl-Marx-Monument an der Brückenstraße. In London erinnert die Marx Memorial Library an den langjährigen Exilanten. | **Adresse** Karl-Marx-Haus Trier: Brückenstraße 10, 54290 Trier, www.fes.de/karl-marx-haus (April–Okt. täglich 10–18, Nov.–März Mo 14–17, Di–So 11–17 Uhr); Marx Memorial Library: 37A Clerkenwell Green, London EC1R 0DU, www.marx-memorial-library.org (Mo–Do 12–16 Uhr) | **Bild oben** Karl Marx 1875 | **Bild unten** Das Karl-Marx-Haus in Trier

76 _ Karl May

Abenteuer mit Winnetou und Old Shatterhand

Wer ist eigentlich berühmter: der weiße Abenteurer Old Shatterhand, der Apache Winnetou oder der Sachse Karl May, Schöpfer
der Erstgenannten? Es bedürfte einer Umfrage, dies zu entscheiden. Fest steht jedoch: Karl May ist einer der meistgelesenen und
meistübersetzten deutschen Autoren aller Zeiten. Noch, muss
man sofort hinzufügen, denn unter jugendlichen Lesern laufen
ihm Harry Potter und seine Nachfolger aus der Fantasy-Welt inzwischen den Rang ab. Wenn es jedoch irgendetwas gab, woran
es Karl May nicht mangelte, dann war das Phantasie. Sie befeu-
erte seinen Schreibtrieb genauso wie seinen Hang zur Selbstdar-
stellung – so produktiv May war, so hochstaplerisch ging er auch
durchs Leben.

Dass er viel Zeit in Gefängnissen verbrachte, hängt eng mit
der englischen Industrialisierung des 19. Jahrhunderts zusammen.
Während auf der Insel die Dampfmaschinen qualmten, saßen We-
berfamilien wie die Mays noch immer zu Hause an ihren Webstüh-
len. Bald waren sie arbeitslos, verarmten und hungerten. Karl May,
neuntes von 14 Kindern, trieb sich als Kleinkrimineller herum, bis
er 1874 ins Haus seiner Eltern zurückkehrte. 32 Jahre alt, nichts gelernt, acht Jahre gesessen, eine verkrachte Existenz. Und was macht
so einer? – Richtig, er beginnt zu schreiben. Karl Mays Abenteu-
ergeschichten erfüllten seinerzeit denselben Zweck wie heutige
Fantasy-Literatur: Sie verhalfen zu ein paar Stunden spannender
Weltflucht. Mit dem tapferen Apachen und seinem Blutsbruder reitet man in die weite Prärie hinaus, besteht gefährliche Prüfungen
und ist dabei auch noch jederzeit auf der Seite des Rechts.

Karl May wurde mit seinen Geschichten wohlhabend und zog
aus dem geduckten Dörfchen Ernstthal nach Radebeul bei Dresden. Bis zum Ende behauptete er, Bärentöter und Henrystutzen
stammten tatsächlich aus dem Wilden Westen. Und sein pompö-
ses Haus taufte er: Villa Shatterhand.

Und heute? Beide Gebäude, sein Geburtshaus und die Villa Shatterhand, fungieren als Karl-May-Museum. | **Adresse** Villa Shatterhand: Karl-May-Straße 5, 01445 Radebeul, www.karl-may-museum.de (März–Okt. Di–So 9–18, Nov.–Feb. Di–So 10–16 Uhr); Geburtshaus: Karl-May-Straße 54, 09377 Hohenstein-Ernstthal, www.karl-may-haus.de (Di–So 10–17 Uhr) | **Bild oben** Karl May als Old Shatterhand | **Bild unten** Im Garten der Villa Shatterhand

77 _ Philipp Melanchthon

Praeceptor Germaniae – Lehrer Deutschlands

»Was aber schafft dem ganzen Menschengeschlecht größeren Nutzen als die Wissenschaft? Keine Kunst, kein Handwerk, ja nicht einmal die Früchte selber, die durch die Erde hervorgebracht werden, auch nicht die Sonne, die viele für die Schöpferin des Lebens halten, ist nötiger als die Wissenschaft«, schrieb Philipp Melanchthon einmal. Ob diese Behauptung vollumfänglich zutrifft, sei dahingestellt. Aber sie belegt den Einfluss des Humanismus auf Melanchthons Denken: Nicht zuvörderst der Glauben, sondern Wissen bringt die Menschheit weiter.

1518, mit 21 Jahren, veröffentlichte er eine griechische Grammatik, die bis ins 18. Jahrhundert Schulbücher füllte. Ab demselben Jahr lehrte er Griechisch an der Universität Wittenberg, der er zu europaweitem Ruhm verhelfen sollte. Ganz zu Unrecht steht er in manchen Chroniken im Schatten Martin Luthers (siehe Seite 152), dessen Lehren er unterstützte und dessen Rolle als führender Reformator er nach Luthers Tod übernahm. Denn was Melanchthon auf dem Gebiet der Philologie, der Philosophie und der Wissensvermittlung im Allgemeinen leistete, ist kaum zu überschätzen. Schon zu Lebzeiten verlieh man dem von seiner Arbeit getriebenen Mann den Titel »Praeceptor Germaniae« –Lehrer Deutschlands. Die »Obere Schule« St. Egidien in Nürnberg, die 1526 nach Melanchthons Vorstellungen konzipiert wurde, gilt als Prototyp der deutschen Gymnasien. In seiner Eröffnungsrede gab er den versammelten Honoratioren mit auf den Weg: »Die Spartaner sagen, die Mauern müssten aus Eisen, nicht aus Stein sein. Ich aber bin der Meinung, dass eine Stadt nicht so sehr durch Waffen als durch Klugheit, Besonnenheit und Frömmigkeit verteidigt werden sollte.«

Philipp Melanchthon maß nur 1,50 Meter. Seine Standbilder im Melanchthonhaus der Geburtsstadt Bretten sowie auf dem Wittenberger Markt präsentieren ihn jedoch als normal gewachsenen Mann. Seine Geistesgröße rechtfertigt das.

Und heute? Melanchthon ist Namenspate von Preisen, Schulen und Straßen. Die Evangelische Kirche gedenkt seiner am Todestag, dem 19. April. | **Adresse** Melanchthonhaus Bretten: Melanchthonstraße 1, 75015 Bretten, www.melanchthon.com (Mitte Feb.–Ende Nov. Di–Fr 14–17, Sa, So 11–13 und 14–17 Uhr); Melanchthonhaus Wittenberg: Collegienstraße 60, 06886 Lutherstadt Wittenberg, www.lutherstadt-wittenberg.de/melanchthonhaus (April–Okt. täglich 10–18, Nov.–März Di–So 10–17 Uhr) | **Bild oben** Melanchthon nach Albrecht Dürer (1526) | **Bild unten** Im Melanchthonhaus Bretten

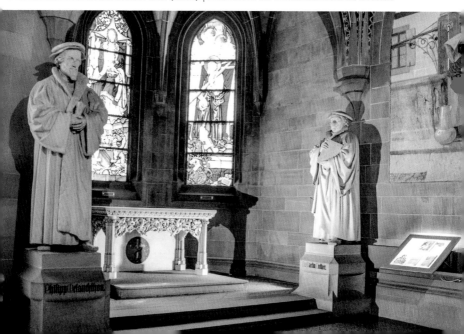

78_ Gerhard Mercator

Der Ptolemäus des 16. Jahrhunderts

Gerhard Mercator war ein typischer Duisburger: ein Zugewanderter nämlich. Ursprünglich stammte er aus Rupelmonde in Flandern. Angeklagt wegen »Lutherey«, saß er 1544 für einige Monate im Kerker, bevor er 1552 ins liberalere Duisburg übersiedelte. Hier arbeitete er anderthalb Jahre als Lehrer für Mathematik und Kosmografie, eine Wissenschaft, die neben geografischen und astronomischen Aspekten auch das Spirituelle mit im Blick hatte – also hierzulande die christliche Weltanschauung. Hauptsächlich widmete sich der Sohn eines Schuhmachers jedoch seinen eigenen Projekten: Globen und Landkarten. Weltberühmt wurde er mit seiner 1569 veröffentlichten großen Weltkarte für die Seefahrt.

Was die Mercator-Projektion so revolutionär macht, ist nicht ganz leicht zu erklären. In der Mercator-Schatzkammer des Duisburger Stadtmuseums steht ein großer Touchscreen, der die Karte erläutert. Indem Mercator die Längengrade parallel zueinander legte und die Breitengrade zu den Polen hin stark vergrößerte, schuf er eine winkeltreue Abbildung der Erdoberfläche. Kompasskurse werden auf Mercator-Karten als Geraden abgebildet, während sie zuvor schwer zu berechnende Bögen beschrieben.

Dank Mercator finden heute Schiffs- und Flugkapitäne ihren Weg. Ohne seine Ideen gäbe es keine solide Vermessungstechnik, keine Navigationsgeräte und kein Google Maps. Im 16. Jahrhundert schuf er die ersten vernünftigen Landkarten, und die Bezeichnung »Atlas« für eine Sammlung von Karten geht sogar auf ihn zurück: Seinen 1595 posthum erschienenen »Atlas sive Cosmographicae Meditationes de Fabrica Mundi et Fabricati Figura« widmete er dem mythischen König Atlas von Mauretanien, der den allerersten Globus geformt haben soll. Mercators Museumsräume wiederum liegen passend am neu gestalteten Duisburger Innenhafen, der ein Teil des größten Binnenhafens Europas ist.

Und heute? In Rupelmonde steht ein großes Mercator-Denkmal, in Duisburg heißen eine Straße, ein Ausflugsschiff, ein Gymnasium, ein Einkaufszentrum und die große Mercator-Halle nach ihm. | **Adresse** Kultur- und Stadthistorisches Museum Duisburg: Johannes-Corputius-Platz 1, 47051 Duisburg, www.stadtmuseum-duisburg. de (Di–Sa 10–17, So 10–18 Uhr) | **Bild oben** Mercator auf einem Kupferstich von Frans Hogenberg (1574) | **Bild unten** Das Duisburger Stadtmuseum, untergebracht in einer alten Mühle am Binnenhafen.

79 Hieronymus von Münchhausen

Der Lügenbaron

Er war der Mann, der sich am eigenen Schopf aus dem Sumpf zog. Eines der Denkmäler in Bodenwerder verbildlicht jene andere Schrulle, nach der sich sein Ross vor der Tränke zweiteilte, weil der Hinterleib lieber auf der Wiese mit den Stuten herumtollen wollte. In seiner bekanntesten Geschichte jedoch reitet er keinen Gaul, sondern durch die Lüfte: Um die feindlichen Stellungen auszukundschaften, jagt er auf einer Kanonenkugel über sie hinweg.

So phantastisch diese letzte Legende wirkt, führt sie doch zugleich auf die reale Spur dieses Hieronymus Carl Friedrich Freiherr von Münchhausen. Denn das Kind eines Kavallerieoffiziers zog bereits mit nicht ganz 18 Jahren in seine erste Schlacht. Die Belagerung der Krim-Festung Otschakow gibt aller Wahrscheinlichkeit nach den Hintergrund ab für den Ritt auf der Kanonenkugel. Zwölf Jahre lang blieb er im Militärdienst des zaristischen Russland, bevor er, inzwischen verheiratet, in seine niedersächsische Heimat zurückkehrte. Hieronymus verwaltete sein Gut, frönte der Jagd und: entwickelte sich zu einem virtuosen Erzähler.

Aber seine wahre Geschichte endete tragisch. Ein wegen Diebstahls flüchtiger ehemaliger Bekannter Münchhausens veröffentlichte 1785 in London unter dem Namen des Barons die ersten Anekdoten. Das Buch wurde ein Riesenerfolg, ins Deutsche übersetzt und sein Protagonist in der ganzen Welt bekannt. Aber als »Lügenbaron«, wie man ihn nun nannte, fühlte Münchhausen sich verunglimpft. 1790 starb dann auch noch seine Gemahlin. Die zweite Ehe mit einer viel zu jungen Frau kostete den inzwischen 73-Jährigen fast sein gesamtes Vermögen. Und während andere mit seinen vermeintlichen Abenteuern Geld machten, musste er Haus und Hof verkaufen. Der Baron von Münchhausen, mit dem man doch stets ein schelmisches Lächeln assoziiert, starb humorlos und verbittert.

Und heute? Seine Heimat Bodenwerder und sein Ex-Wohnsitz Dunte/Lettland ehren Münchhausen mit einem eigenen Museum und Denkmal. | Adresse Museum Bodenwerder: Münchhausenplatz 1, 37619 Bodenwerder, www.muenchhausenland.de (16. März–Okt. täglich 10–17 Uhr, sonst nach Vereinbarung unter Tel. 05533/409147); Museum Dunte: Landgut Dunte, Gemeinde Liepupe, LV-4023, www.minhauzens.lv (Mai–Okt. Mo–Do 10–17, Fr–So 10–18, Nov.–April Mi–So 10–17 Uhr) | Bild Münchhausen zieht sich aus dem Sumpf (Museumsgelände Bodenwerder).

80 Thomas Müntzer

Krieg und Apokalypse

Die Frage kommt immer wieder auf und wird je nach Standpunkt sehr unterschiedlich beantwortet: Wer war in diesem elenden Bauernkrieg eigentlich der Gute und wer der Böse? Luther oder Müntzer?

Fest steht: Sie mochten sich nicht. Beide haben nach heutigen Maßstäben viel Unsinn geredet (über Juden, Bauern und Biertrinker zum Beispiel). Und beide verfolgten ihre Ziele ohne Rücksicht auf Verluste – auch auf eigene. Müntzer hat die Kirche nicht wie Luther revolutioniert. Aber er bleibt als Sozialrevolutionär in Erinnerung, als engagierter Anwalt des einfachen Volkes.

Noch vor Luthers Thesenanschlag hatte Müntzer öffentlich Kritik an der katholischen Kirche geübt. Die Reformationsbewegung begrüßte er zunächst, Luther und er kooperierten. Schon bald jedoch war ihm der Wittenberger nicht mehr radikal genug. Müntzer sah die Apokalypse nahen und kam zu dem Schluss, auch die Reformation stütze letztlich die Gottlosen. Als sich 1524 schließlich die Bauern erhoben, wurden die Fronten unüberwindlich. Luther stellte sich auf die Seite der Obrigkeit, Müntzer unterstützte den gewaltsamen Kampf der Landmänner: »Dran, solange das Feuer heiß ist. Lasset euer Schwert nicht kalt werden!«, ermunterte er die Aufständischen. Um seinen Worten Taten folgen zu lassen, scharte er Freiwillige um sich und forcierte die Entscheidungsschlacht zwischen dem Bauernheer und den Landsknechten der Fürsten. 6.000 Aufständische starben am 15. Mai 1525, chancenlos gegen die Feuerwaffen ihrer Gegner. Im Bauernkriegsmuseum von Mühlhausen findet man die umfangreichste Sammlung zu den Arsenalen jener Tage. Und dort erfährt man auch vom Ende des Thomas Müntzer. Er wurde gefangen genommen und gefoltert, widerrief jedoch nicht. Zwölf Tage nach der Schlacht schlug man ihm den Kopf ab und spießte seinen Leib auf einen Pfahl, den man vor den Toren der Stadt aufstellte.

Und heute? Mühlhausen ehrt seinen ehemaligen Pfarrer mit einem Denkmal vor dem Frauentor, einer Gedenkstätte in St. Marien und dem Bauernkriegsmuseum. Auch auf Schloss Allstedt, wo er seine »Fürstenpredigt« hielt, erinnert eine Dauerausstellung an ihn. | **Adresse** Bauernkriegsmuseum: Kornmarkt, 99974 Mühlhausen, www.mhl-museen.de (Di–So 10–17 Uhr); Schloss Allstedt: Schloss 8, 06542 Allstedt, www.allstedt-kaltenborn.de (April–Okt. Di–So 10–17, Nov.–März Di–Fr 10–16.30, Sa, So 13–17 Uhr) | **Bild oben** Thomas Müntzer auf einem Kupferstich von Christoph van Sichem (1608) | **Bild unten** Müntzers Hinrichtungsstätte am Frauentor

81 Der Neandertaler

Von der Hundsklipp in die Welt hinaus

Er ist sicherlich der älteste und zugleich einer der berühmtesten Deutschen überhaupt. Wobei die nationale Zuordnung nur rein geografisch funktioniert. Territorien endeten zu Zeiten der Neandertaler eher am nächsten Waldrand denn am Schlagbaum, und in welchem Idiom sie sich unterhielten, wird wohl auch auf ewig unbekannt bleiben. Düsseldorfer Platt sprachen sie jedenfalls nicht.

Wie es im Neandertal zu Zeiten der Ureinwohner ausgesehen haben mag, darüber gibt ein Gemälde im gleichnamigen Museum Auskunft. Auf der »Partie im Neandertal« (1855) sieht man nämlich noch jene Felsen, die hier einst aufragten. Bis zu 50 Meter hatte sich die Düssel über Jahrmillionen ins Gestein gearbeitet und dabei eine malerische Schlucht entstehen lassen. Der Kalkreichtum der Felsen kam den Höhlenbewohnern zupass, dank ihm ließen sich die urzeitlichen Wohnungen leichter bearbeiten und erweitern. Er bedeutete jedoch rund 40.000 Jahre später das Ende des Naturidylls. Denn genau auf jenes Material hatten es die Bergarbeiter abgesehen, die Mitte des 19. Jahrhunderts mit ihren Spitzhacken anrückten.

Es war im August 1856, als man in der ebenfalls verschwundenen Feldhofer Grotte auf einen Haufen von Knochen stieß, der die Evolutionsforschung einen großen Schritt voranbringen sollte. Drei Jahre vor der Veröffentlichung von Charles Darwins »Entstehung der Arten« hatte man eine neue Frühmenschenart entdeckt: den Homo neanderthalensis.

Vom einstigen Hundsklipp, wie man das Neandertal auch nannte, zeugt heute nur noch der rund acht Meter hohe Rabenstein am Rand des Fundorts. Der Neandertaler jedoch zog um die Welt. Bald fand man seine Überreste im gesamten Mittelmeerraum. Und dank jüngster genetischer Untersuchungen weiß man sogar, dass er hin und wieder mit Vertretern des Homo sapiens Nachwuchs gezeugt haben muss.

Und heute? Das Neanderthal-Museum arbeitet gleichermaßen die Geschichte des Tals und des Urmenschen auf. | **Adresse** Museum: Talstraße 300, 40822 Mettmann, www.neanderthal.de (Di–So 10–18 Uhr) | **Bild oben** Dermoplastik »Mr. N« im Neanderthal-Museum | **Bild unten** Der Rabenstein unweit des Museums

82 Balthasar Neumann

Ein Stararchitekt des 18. Jahrhunderts

Die Würzburger Residenz ist einer der imposantesten Barockbauten zwischen Flensburg und Garmisch. Ins ausladende Treppenhaus fuhren Hausherr und Gäste mit der Pferdekutsche, um unter der 540 Quadratmeter großen, vom venezianischen Meister Giovanni Battista Tiepolo bemalten Kuppel in den ersten Stock zu steigen. Als die UNESCO 1981 den gesamten Komplex zum Weltkulturerbe erklärte, stand nicht zuletzt das kaiserliche Spiegelkabinett im Fokus. Hier betrete man »das vollkommenste Raumkunstwerk des Rokoko«, so die Jury.

Erbaut wurde die Würzburger Residenz in der ersten Hälfte des 18. Jahrhunderts als Sitz der Fürstbischöfe. Aber auch die weltlichen Herrscher betteten hier gern ihr Haupt, zum Beispiel auf dem Weg zur Kaiser- und Königswahl nach Frankfurt. Die repräsentative Architektur des Gebäudekomplexes verdankten sie einem Mann, der 1711 als Glockengießergeselle nach Würzburg gekommen war. Balthasar Neumann machte zunächst Karriere beim Militär – als Ingenieur für Befestigungsbauten. So gelangte er unter anderem nach Wien und Mailand, wo er die herausragenden Werke der zeitgenössischen Baukunst studieren konnte. 1720 schließlich zog er das große Los: Würzburgs Fürst und Bischof Philipp Franz von Schönborn beauftragte ihn mit der Planung der Würzburger Residenz. Schon damals galt Neumann als architektonisches Genie, dessen Ideen so mutig wie phantasievoll wirkten. Obwohl sich die Errichtung der Residenz über Jahrzehnte hinzog, schuf er obendrein weitere Prachtbauten wie die Basilika Vierzehnheiligen bei Bad Staffelstein oder die Abtei Neresheim auf der Schwäbischen Alb. Auch die barocken Umbauten des Brühler Schlosses Augustusburg gehen auf Neumanns Konto. Wie ehrgeizig er zeitlebens zu Werke ging, belegt ein Detail seines Würzburger Hauses in der Franziskanergasse: Auf das Dach ließ er die »Neumann-Kanzel« bauen, von der aus er seine Baustellen stets im Blick hatte.

Und heute? In Würzburg folgt man Neumanns Spuren auf einem eigens angelegten Rundweg (Plan erhältlich bei der Touristeninformation am Marktplatz 2). | **Adresse** Würzburger Residenz: Residenzplatz 2, 97070 Würzburg, www.residenz-wuerzburg.de (April–Okt. 9–18, Nov.–März 10–16.30 Uhr); Schloss Augustusburg: Max-Ernst-Allee, 50321 Brühl, www.schlossbruehl.de (Feb.–Nov. Di–Fr 9–12 und 13.30–16, Sa, So 10–17 Uhr) | **Bild oben** Balthasar Neumann nach Marcus Friedrich Kleinert (1727) | **Bild unten** Die Würzburger Residenz

83 Friedrich Nietzsche

Hellsichtiger Philosoph, umnachteter Kranker

Friedrich Nietzsches frühestes Umfeld war ein Dorfidyll. Unter hohen Bäumen das Pfarrhaus, in dem er geboren wurde, und direkt daneben die archaische, geduckte Kirche von Röcken, in der sein Vater die Predigten hielt. Dass das Leben dieses als lebhaft geschilderten Jungen ganz und gar nicht harmonisch verlaufen sollte, zeichnete sich erstmals 1849 ab. Als Friedrichs Vater mit 35 Jahren so qualvoll wie unerwartet starb, brach für seinen kleinen Sohn eine Welt zusammen. Fortan lebte Nietzsche bis 1856 im »Naumburger Frauenhaushalt«: als einziges männliches Wesen gemeinsam mit seiner Mutter, Schwester, Großmutter, mit zwei Tanten und einem Dienstmädchen.

Schon als Junge dem Schreiben zugeneigt, kam es in den 1860er Jahren zu ersten Veröffentlichungen. Die Qualität der Texte beeindruckte die Universität Leipzig derart, dass sie Nietzsche ohne weitere Prüfungen zum Doktor kürte. Seine erste größere Veröffentlichung, die »Geburt der Tragödie aus dem Geiste der Musik«, scheiterte 1872 indes an der Ignoranz seiner Kollegen. Auch in Zukunft sollte der zunehmend unter Krankheiten leidende Altphilologe und Philosoph ein Außenseiter bleiben. In seinem Hauptwerk, dem 1883 bis 1885 erschienenen »Zarathustra«, überhöht er dieses ewige Außen-vor-Sein zu einer weltabgewandten Religion. Sein »Über-Mensch« Zarathustra ist eher ein einsamer Jenseits-Mensch als jener tumbe Held, den mancher Nazi aus ihm zu machen suchte. Was in seinem Werk durchgehend besticht, ist die Eleganz der Sprache. Mag auch der Inhalt manchmal vernebelt sein, so fließen diese Sätze doch klar wie Gebirgsbäche.

Nietzsches Abschied aus der Welt begann mit einem Zusammenbruch, den er Anfang 1889 in Turin erlitt. Die nächsten elf Jahre dämmerte er in bald vollständiger geistiger Umnachtung dahin, mehrere Schlaganfälle zwangen ihn zudem in den Rollstuhl. Er wurde nur 55 Jahre alt.

Und heute? Museen findet man im Röckener Geburtshaus und in Naumburg. Auf dem Röckener Friedhof liegt sein Grab. | **Adresse** Geburtshaus: Teichstraße 8, 06686 Lützen-Röcken, www.nietzsche-gedenkstaette.de (im Sommer Do–So 12.30–16 Uhr); Nietzsche-Haus Naumburg: Weingarten 18, 06618 Naumburg, www.mv-naumburg.de/nietzschehaus (Di–Fr 14–17, Sa, So 10–17 Uhr) | **Bild oben** Nietzsche 1882 | **Bild unten** Skulpturengruppe »Röckener Bacchanal« hinter seinem Geburtshaus

84 Nicolaus Otto

Ansaugen, Verdichten, Verbrennen, Auspuffen

Die motorisierte Fortbewegung hat viele Väter, jeder von ihnen hat ein paar Ideen beigesteuert. Großen Anteil an der Entwicklung hat der Luxemburger Jean Joseph Étienne Lenoir, der 1860 den ersten funktionierenden Gasmotor vorstellte. Aber danach kommt dann schon der im Taunus geborene Nicolaus Otto. Ab 1862 arbeitete er an einem Motor, der nach dem 4-Takt-Prinzip (Ansaugen, Verdichten, Verbrennen, Auspuffen) rotieren sollte. Zwei Jahre später gründete er mit dem Ingenieur Carl Eugen Langen in Köln die erste Motorenfabrik der Welt. Die Frucht ihrer Zusammenarbeit präsentierten sie dann 1867 einem staunenden Publikum auf der Weltausstellung in Paris. Ottos Gasverbrennungsmotor lief und lief und lief ... Und weil er zudem deutlich weniger Kraftstoff verbrauchte als die Produkte der Konkurrenz, wurde er mit einer Goldmedaille ausgezeichnet.

Schon 1872 waren Gottlieb Daimler und Wilhelm Maybach als technische Leiter in das neu gegründete Unternehmen »Gasmotoren-Fabrik Deutz Aktiengesellschaft« eingetreten. Bis 1876 hatten Otto und seine Ingenieure ihren Prototyp so verfeinert, dass es zur Markteinführung kam: Der »Otto-Motor« war geboren, Vorlage für alle weiteren Motoren der Automobilgeschichte. Dass mit Christian Reithmann ein österreichischer Uhrmacher bereits etwas früher einen Viertakter ans Laufen gebracht hatte, kam dank einem Geheimvertrag mit der Deutz AG erst 1949 ans Licht.

Auch in der Folgezeit setzte Nicolaus Otto Maßstäbe. Schon Anfang der 1860er hatte er versucht, das flüchtige Gas durch einen flüssigen Brennstoff zu ersetzen. Der Durchbruch auf diesem Gebiet gelang ihm jedoch erst 1884 mit seiner Perfektionierung der elektrischen Zündung. Waren Otto-Motoren bis dato lediglich zum Antrieb von industriellen Maschinen verbaut worden, so änderte sich dies 1886: Der Benz-Patent-Motorwagen Nummer 1 war das erste echte Auto der Welt.

Und heute? Otto-Denkmäler stehen vor dem Deutzer Bahnhof in Köln und am Kölner Rathausturm. Sein Grabmal befindet sich auf dem dortigen Melatenfriedhof. | **Adresse** Nicolaus August Otto Museum: Langgasse 27a, 56357 Holzhausen an der Haide (Do–Di 10–16 Uhr); Motoren-Museum Deutz: Ottostraße 1, 51149 Köln, www.deutz.com (Mo, Di 10 und 13 Uhr, nur Führungen nach Anmeldung unter technikum@deutz.com) | **Bild oben** Nicolaus Otto in jungen Jahren | **Bild unten** Im Nicolaus-Otto-Museum in Holzhausen

85 Max Planck

Praktizierender Musiker, theoretischer Physiker

Der 14. Dezember 1900 gilt heute als Geburtsstunde der Quantentheorie. Die Herren, die damals an jener Sitzung der Deutschen Physikalischen Gesellschaft in Berlin teilnahmen, waren sich dessen jedoch nicht bewusst. Max Planck, seinerzeit Inhaber eines Lehrstuhls für theoretische Physik, stellte eine Formel für ein neues Strahlungsgesetz vor. Weiterführende Untersuchungen von Albert Einstein brachten einige Jahre später die aufsehenerregende Erkenntnis, dass Plancks Formel mit der klassischen Physik nicht in Einklang zu bringen war. 1918 sprach man Planck für die Begründung der Quantentheorie den Physik-Nobelpreis zu.

Nach dem Abitur (mit 16) stand der junge Planck vor der Zwickmühle des Doppelbegabten: Der mit einem absoluten Gehör ausgestattete, hoch talentierte Multiinstrumentalist erwog, Musik zu studieren. Zwar sollte er dieser Liebe lebenslang treu bleiben, aber 1874 siegte die praktisch orientierte Vernunft: Planck schrieb sich in München für ein Studium der Mathematik und der Naturwissenschaften ein. Eine erste Professur in Kiel 1885 sowie vier Jahre später die Berufung nach Berlin brachten seine Karriere entscheidend voran. Nach der Machtübernahme 1933 appellierte der 74-jährige Planck an Hitler, jüdische Wissenschaftskollegen in ihren Ämtern zu belassen. Im Übrigen jedoch arrangierte er sich mit dem NS-Regime, bis auch er selbst Opfer von Angriffen wurde. Trotz eindringlicher Bittbriefe an Himmler und Göring ermordete man seinen Sohn Erwin als Widerstandskämpfer.

Schon 1936 hatte Max Planck den Vorsitz der Kaiser-Wilhelm-Gesellschaft zur Förderung der Wissenschaften abgeben müssen. Als man sie 1946 neu strukturierte, übernahm der aus der Emigration zurückgekehrte Otto Hahn (siehe Seite 106) das Amt, und die Institution wurde umgetauft. Heutzutage unterhält die »Max-Planck-Gesellschaft« über 80 weltweit anerkannte Forschungsinstitute.

Und heute? Neben dem Nobelpreis erhielt Planck zahllose weitere Auszeichnungen, zum Beispiel den Frankfurter Goethe-Preis. Im Ehrenhof vor dem Hauptgebäude der Berliner Humboldt-Universität steht sein Denkmal. | **Adresse** Max-Planck-Gesellschaft: Hofgartenstraße 8, 80539 München, www.mpg.de (Zentrale für die diversen Institute); Ehrenhof Humboldt-Universität: Unter den Linden 6, 10117 Berlin | **Bild oben** Max Planck (um 1930) | **Bild unten** Planck-Statue vor der Berliner Humboldt-Universität

86_ Tilman Riemenschneider

»Kunstlich meysterlich vnd zirlich«

Tilman Riemenschneider war ein engagierter Bürger: 1483 erhielt er das Würzburger Bürgerrecht, ab 1504 wirkte er im Rat der Stadt unter anderem als Baumeister und Steuerherr. 1520 erhob man ihn zum Bürgermeister, als der er sich erfolgreich gegen die Steuerbefreiung von Adel und Klerus einsetzte. Dass er sich, wie alle Ratsmitglieder, im Rahmen des Bauernkrieges gegen den despotischen Bischof Konrad II. wandte, musste er bitter büßen: Riemenschneider wurde für zwei Monate eingekerkert und gefoltert, die Freilassung kostete ihn sein halbes Vermögen. Angeblich brach man dem Künstler im Gefängnis die Hände, jedenfalls erhielt er niemals wieder einen öffentlichen Auftrag.

Aber das politische war nur das halbe Leben Riemenschneiders, jenes begnadeten Bildschnitzers und -hauers im Übergang von der Gotik zur Renaissance. Eine seiner bekanntesten Schöpfungen, zugleich seine erste Würzburger Arbeit, sind die Adam- und Eva-Figuren. Heute im Mainfränkischen Museum ausgestellt, standen die beiden Sandsteinakte von 1491 ursprünglich am Marktportal der Würzburger Marienkapelle. Wie viele Werke Riemenschneiders, man denke etwa an die Heilige Barbara (1510, Bayrisches Nationalmuseum), strahlt das Paar eine in sakralen Zusammenhängen geradezu aufreizende Jugendlichkeit und Erotik aus. Weil es so »kunstlich meysterlich vnd zirlich« gearbeitet war, legte der Rat auf das fürstliche Honorar noch einmal eine Schippe drauf.

Die mädchenhaften Gesichter seiner Frauenfiguren, der entrückte Blick, die schlanken Hände und virtuos gefalteten Gewänder wurden zu einem Markenzeichen der Riemenschneider-Werkstatt. Nach seinem Tod übernahm zunächst Sohn Jörg den Betrieb, danach fiel Riemenschneider der Vergessenheit anheim. Erst die mittelalterfixierte Spätromantik entdeckte sein Werk neu, nachdem man 1822 seinen über Jahrhunderte verschollenen Grabstein wiedergefunden hatte.

Und heute? Die mit rund 80 Werken größte Riemenschneider-Sammlung beherbergt das Mainfränkische Museum in Würzburg. An der Nordseite des dortigen St.-Kilian-Doms hängt ein Abguss seines Grabsteins. Die Evangelische Kirche ehrt ihn am 7. Juli, seinem Todestag. | **Adresse** Mainfränkisches Museum: Festung Marienberg, Oberer Burgweg, 97082 Würzburg, www.mainfraenkisches-museum.de (April–Okt. Di–So 10–17, Nov.–März Di–So 10–16 Uhr) | **Bild** Riemenschneider am Frankoniabrunnen vor der Würzburger Residenz

87 Adam Ries

Der Rechenmeister aus dem Erzgebirge

Sein Bildnis zierte Weinflaschen, Münzen und Briefmarken, sogar ein ICE wurde nach ihm benannt. Den größten Einfluss auf sein Nachleben dürfte jedoch jene Redewendung haben, die bis heute geläufig ist: »Nach Adam Riese macht das ...«

Der aus Staffelstein in Franken stammende Rechenmeister hieß eigentlich Ries. Das angehängte »e« forderte damals der Dativ, aber Adams Verdienste um die Mathematik dürften bei der Flexion ebenfalls eine Rolle gespielt haben. Dass er ein echter »Riese« wurde, verdankte er seinen ab 1518 erschienenen Rechenbüchern. Seine Exempel seien »künstlich und sinnreich«, heißt es noch in einer Besprechung des frühen 19. Jahrhunderts. Mathematik vermittelt unumstößliche Wahrheiten, und Adam Ries war der Mann, der diese Wahrheiten am anschaulichsten unters Volk brachte. Allein seine zweite Veröffentlichung »Rechnung auff der linihen und federn« erzielte zwischen 1522 und 1656 über 100 Auflagen. Wichtig für den Erfolg: Ries schrieb auf Deutsch statt Lateinisch. Außerdem ging der seinerzeit in Erfurt lebende Meister in diesem Buch intensiv auf die Vorteile der indisch-arabischen Zahlenwelt ein, die allmählich die römische zu verdrängen begann.

Von 1523 bis zu seinem Tod lebte Adam Ries in Annaberg im Erzgebirge. Reichhaltige Silbervorkommen hatten hier für einen ökonomischen Aufschwung gesorgt, und auch Ries profitierte davon. Obwohl Annaberg (im Gegensatz zum benachbarten Buchholz) bis 1539 katholisch blieb, stieg der »luttrische« Ries zum obersten Rechenmeister des Bergamtes auf und brachte es später gar zum kurfürstlichen Hofarythmetikus. Als er 1559 starb, hinterließ er eine große Familie, die seinen Nachruhm nicht nur als Rechenmeister, sondern auch als Stammvater befördern sollte: Der umtriebige »Adam-Ries-Bund« verwaltet den Stammbaum des Urvaters, dem inzwischen über 20.000 registrierte Nachkommen ihr Leben verdanken.

Und heute? An seine Jugendzeit in Bad Staffelstein erinnert unter anderem eine Statue in der Bahnhofstraße. Erfurt gedenkt des Rechenmeisters mit einer Büste samt Tafel an der Michaelisstraße 48. | **Adresse** Adam-Ries-Museum: Johannisgasse 23, 09456 Annaberg-Buchholz, www.adam-ries-museum.de (Di–Fr 10–16 Uhr, Sa, So 12–16 Uhr) | **Bild oben** Adam Ries auf einem zeitgenössischen Holzschnitt (1550) | **Bild unten** Das Adam-Ries-Museum in Annaberg

88 Wilhelm Conrad Röntgen

Zauberstrahlen aus dem Labor

Von allen medizinischen Entdeckungen ist die der Röntgenstrahlung sicherlich eine der faszinierendsten. Plötzlich war es möglich, in den lebendigen Körper hineinzublicken. Zu verdanken hat die Welt dies einem Mann, der 1845 in Remscheid-Lennep im Bergischen Land geboren wurde. Schon mit drei Jahren jedoch wanderte die Tuchmacherfamilie nach Holland aus. Über mehrere Umwege gelangte der technisch begabte Student nach Gießen, wo er kurz nach seinem 34. Geburtstag einen Lehrstuhl für Physik besetzte. In Würzburg stieg er 1893 sogar zum Rektor der Universität auf. Am 8. November 1895, Röntgen untersuchte seinerzeit die Elektrizitätsleitung in Gasen, machte er eine seltsame Entdeckung. Von seiner Kathodenstrahlröhre gingen Strahlen ab, die durch kein bis dato bekanntes Phänomen erklärbar waren. Fortan arbeitete, aß und schlief der Forscher in seinem Labor, bis er nur zwei Monate später den ersten Bericht zu seinen Experimenten veröffentlichen konnte. In den nächsten Wochen machten die »Zauberstrahlen« ihn in aller Welt bekannt.

Im Remscheider Röntgen-Museum erklärt man den täglich anreisenden Schulklassen die Erzeugung der Strahlen durch einen plastischen Vergleich. Ein Flipperball simuliert dort ein Elektron, das mittels Beschleunigung andere Elekronen aus einem Atom herausschießt. Bei der Wiederauffüllung der verletzten Atomschalen entsteht die charakteristische Strahlung.

Wilhelm Conrad Röntgen galt als extrem introvertiert und an Ruhm nicht interessiert. Statt »Röntgen-« bevorzugte er die Bezeichnung »X-Strahlen«. Als 1901 die ersten Nobelpreise der Geschichte vergeben wurden, gehörte auch er zu den Geehrten. Menschenscheu wie er war, verweigerte er die öffentliche Dankesrede. Die 50.000 Kronen Preisgeld vermachte er der Universität Würzburg, und um seinen Röntgenapparat schneller zu verbreiten, verzichtete er auf dessen Patentierung.

Und heute? Ungeröntgt geht heutzutage kaum jemand durchs (westliche) Leben. Im alten physikalischen Institut zu Würzburg gibt es eine Röntgen-Gedächtnisstätte, am zeitweiligen Wirkungsort Gießen steht eines von mehreren Denkmälern. | **Adresse** Deutsches Röntgen-Museum: Schwelmer Straße 41, 42897 Remscheid, www.roentgen-museum.de (Di–So 10–17 Uhr) | **Bild oben** Wilhelm Conrad Röntgen um 1896 | **Bild unten** Das Röntgen-Museum in Lennep

89 __ Das Rotkäppchen
... und die Angst vorm Bösen Wolf

»Im Wald, da sind die Räuber«, heißt es in einem alten Volkslied. Und so war das damals wohl auch. Die ausgedehnten, düsteren Wälder boten einen sicheren Unterschlupf für allerlei Gesindel, von Schillers »Räubern« bis zur kannibalistischen Hexe aus »Hänsel und Gretel«. Der blutrünstigste aller Waldgesellen jedoch war der Wolf, gern versehen mit dem Prädikat »böse«. Und sein berühmtestes Opfer heißt: »Rotkäppchen«.

Frohen Mutes spaziert es durch den Wald, um die kranke Großmutter zu besuchen. Deren Geschenk, ein rotes Häubchen, trägt die Kleine auf dem Kopf, und am Arm baumelt das Genesungskörbchen mit Wein und Kuchen. Trotz der Mahnungen ihrer Mutter lässt das Mädchen sich vom Wolf zum Blumenpflücken jenseits des Wegs überreden. Mit der Folge, dass zunächst die geliebte Großmutter und sodann das Rotkäppchen selbst gefressen werden.

In manchen Versionen endet das Märchen an dieser Stelle – tragisch. Die Brüder Grimm (siehe Seite 94) lassen hingegen einen Jäger auftreten, der die Vertilgten befreit, und in anderen Tradierungen ist es das Mädchen selbst, das den Wolf schließlich bezwingt. Der Stoff kursiert auch in anderen Ländern. Aber der »deutsche Wald« war schon immer ein Kapitel für sich, angesiedelt zwischen Eichendorff-Romantik und der Urangst vor dem Ungeheuer. Die alten Märchen leben bis heute mittels Büchern und Trickfilmserien fort, aber kaum eine Figur blieb über die Jahrhunderte so präsent wie das Rotkäppchen. Seine letzten Worte (»Großmutter, warum hast du so einen großen Mund?«) wurden geflügelt und in zahllosen Variationen zum Werbeslogan. Und sein Name selbst steht für eines der wenigen – und deshalb umso prominenteren – Produkte, die den Untergang der DDR überlebten. Der seit 1894 abgefüllte Rotkäppchen-Sekt trägt wie seine Patronin stets eine rote Haube. Man hat ihn allerdings eher zum Trinken als zum Fressen gern.

Und heute? Rotkäppchen und das Ungeheuer findet man zum Beispiel auf dem Münchner Wolfsbrunnen (1904) am Kosttor sowie in Märchenwäldern wie dem in Altenberg. | **Adresse** Wolfsbrunnen: Am Kosttor, 80331 München; Märchenwald: Märchenwaldweg 15, 51519 Odenthal-Altenberg, www.maerchenwald-altenberg.de (März–Okt. täglich 10–18, Nov.–Feb. täglich 10–16 Uhr) | **Bild oben** Rotkäppchen-Illustration von Carl Offterdinger (19. Jahrhundert) | **Bild unten** Der Wolfsbrunnen in München

90__Hans Sachs

Meistersang und Fastnachtsspiele

Der gelernte Schumacher Hans Sachs war ein Star seiner Zeit, des 16. Jahrhunderts. Das maßgebliche Gesellschaftsleben spielte sich damals nicht mehr an den Höfen ab, sondern in den Städten mit ihren aufstrebenden Handwerkern und Kaufleuten. Zu einer einflussreichen Institution hatten sich die zunftartig zusammengeschlossenen Meistersänger entwickelt: dichtende, komponierende, singende Städter in der Tradition des Minnesangs, die sich eine hierarchische Ordnung gaben und eigene Schulen unterhielten. Um 1555, nach über 30 Jahren Mitgliedschaft, wurde Hans Sachs Vorsitzender der Nürnberger Meistersinger. Zu dieser Zeit war er ein viel gelesener und vor allem bühnenpräsenter Autor.

Denn jenseits der formal recht strengen Meistergesänge (20 Verse à drei »Stollen«) schrieb Hans Sachs eine große Anzahl von Fastnachtsspielen und Schwänken. Auf der Basis eines lockeren Drehbuchs ging es hier in der Regel saftig-derb zur Sache. Kleine, burleske Geschichten um Sex, den Suff und andere Triebe – präsentiert von Knallchargen wie der Klatschbase, dem zänkischen Eheweib und dem bäurischen Tölpel – ließen den Puls des Publikums hochschlagen. Wie kein anderer seiner Gilde verstand sich Sachs in seinen über 200 Stücken darauf, mit frisch-frivolen Knittelversen Emotionen zu schüren. Das nach einem Sachs-Gedicht gestaltete »Ehekarussell«, ein Brunnen im Nürnberger Zentrum, mag architektonisch umstritten sein; die barock-vulgäre Darstellung eines Paares von der jungen Liebe bis zu den sich noch im Tode würgenden Skeletten trifft jedoch durchaus den Ton des Künstlers.

Von den Dichtern des Barock und der Aufklärung ignoriert, erlebte Hans Sachs im Zuge der romantischen Mittelalterverehrung des frühen 19. Jahrhunderts eine Renaissance. Zu hohen Weihen kam er schließlich durch Richard Wagners Oper »Die Meistersinger von Nürnberg« (1868) mit Sachs als oberstem Zunftherrn.

Und heute? Nach Hans Sachs sind zahlreiche Straßen, Schulen, Preise und Theater-
gruppen benannt. Auf dem Nürnberger Hans-Sachs-Platz steht sein Denkmal. |
Adresse Ehekarussell/Hans-Sachs-Brunnen: Breite Gasse/Am Weißen Turm,
90402 Nürnberg | **Bild oben** Der 81-jährige Hans Sachs nach Andreas Herneisen
(1575/76) | **Bild unten** Der Hans-Sachs-Brunnen in Nürnberg

91 Wilhelm Schickard

Rechnen per Maschine

Lange Zeit galt der Franzose Blaise Pascal als Erfinder der Rechenmaschine. Bis man in den 1950er Jahren eine Bauanleitung Wilhelm Schickards wiederentdeckte. Das Sensationelle daran: Hier handelte es sich um die älteste bekannte Rechenmaschine der Menschheit.

Geboren wurde Schickard als Sohn eines Schreiners, dem er bereits früh bei Berechnungen geholfen haben soll. Ab 1610 lebte er erstmals in Tübingen, wo er ein Theologiestudium aufnahm. Sieben Jahre später lernte er hier Johannes Kepler (siehe Seite 134) kennen, der am Neckar weilte, um seine Mutter gegen den Vorwurf der Hexerei zu verteidigen. Schon damals arbeiteten die beiden an gemeinsamen Projekten. Um seinen Freund bei der komplexen Berechnung der Planetenbahnen zu unterstützen, entwarf Schickard 1623 jene bahnbrechende Konstruktion.

Man geht heute davon aus, dass der Technikpionier zwei Exemplare selbst produzierte. Jedoch gingen beide, auch das für Kepler, in den Wirren des Dreißigjährigen Krieges verloren. Aber sowohl in seiner Heimatstadt Tübingen als auch im Bonner Arithmeum stehen funktionstüchtige Nachbauten des Schickard'schen Modells. Sie belegen, dass diese urtümliche Maschine die vier Rechenarten beherrschte und Ergebnisse mit maximal sechs Dezimalstellen darstellen konnte. Außerdem sorgte das ausgeklügelte Räderwerk dafür, dass der jeweilige Zehnerübertrag rein mechanisch vollzogen wurde.

Ein Patent konnte Wilhelm Schickard auf seine Erfindung damals noch nicht anmelden. Vielleicht hat schon Blaise Pascal von ihm profitiert, ganz bestimmt jedoch die Nachwelt. Wer heute seinen Aktienprofit am Computer errechnet, kann sich ein wenig auch bei jenem Tübinger Hobbymechaniker und Hebräischprofessor bedanken. Mit den kaiserlichen Truppen kam 1634 die Pest nach Tübingen. Binnen eines Jahres raffte sie Schickards Frau, seine drei Töchter und schließlich auch ihn und seinen einzigen Sohn dahin.

Und heute? Rekonstruierte Exemplare können in Tübingen (Stadtmuseum, Computer-museum) und in Bonn (Arithmeum) besichtigt werden. | Adresse Stadtmuseum: Kornhausstraße 10, 72070 Tübingen, www.tuebingen.de/stadtmuseum (Di–So 11–17 Uhr); Computermuseum: Wilhelm-Schickard-Institut, Sand 13, 72076 Tübingen, www.uni-tuebingen.de (Mo–Fr 8–18 Uhr); Arithmeum: Lennéstraße 2, 53113 Bonn, www.arithmeum.uni-bonn.de (Di–So 11–18 Uhr) | **Bild oben** Porträt von 1632 | **Bild unten** Die Rechenmaschine im Arithmeum

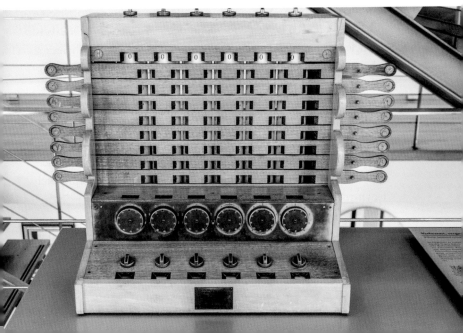

92 Friedrich Schiller

Vertreibung, Flucht und Freiheit

Wie es das Schicksal so wollte, konzentriert sich das Schiller-Gedenken neben Weimar auf ein kleines Städtchen in Schwaben. In Marbach wurde er zwar geboren, aber bereits mit vier Jahren zog er fort von hier. Und kam nie wieder. Dennoch steht heutzutage oben auf der Schillerhöhe das Schiller-Nationalmuseum, ergänzt durch sein Geburtshaus unten im Ort. Seinen ersten Meilenstein setzte der 21-Jährige mit dem Theaterstück »Die Räuber« (siehe Seite 124), der Geschichte zweier ungleicher Brüder, die sich in dieselbe Frau verlieben. Das Stück sollte prägend für Schillers persönliche und poetische Zukunft werden. Wie die späteren Werke »Wallenstein« und »Wilhelm Tell« erzählen auch die »Räuber« von individuellem Freiheitsdrang auf der einen und Flucht, Vertreibung und Krieg auf der anderen Seite – Lustspiele hat Friedrich Schiller nie geschrieben. Ernsthaft in Gefahr geriet der Autor, nachdem die Räuber 1782 uraufgeführt worden waren. Der württembergische Herzog Carl Eugen verhängte ein Schreibverbot, drohte Schiller mit Festungshaft und zwang ihn damit zur Flucht. Eine Odyssee begann, ein Leben voller Unruhe, Verfolgung und Geldsorgen, das erst 1799 mit seinem Umzug nach Weimar wirklich endete.

Von seinem dortigen Freund Goethe stammt die oft kolportierte Behauptung, Schiller habe in seiner Schreibtischschublade stets einen Haufen verfaulender Äpfel aufbewahrt. Der Geruch, so Schillers Frau Charlotte laut Goethe, habe die poetische Kreativität des Dichters befördert. Am Gammelobst wird es nicht gelegen haben, dass seine Gesundheit früh dahin war. Eher schon am starken Tabakgenuss. Schiller, 1802 geadelt, starb mit nur 44 Jahren. Knapp sechs produktive Jahre waren ihm in Weimar geblieben, ein Zeitraum, in dem er unter anderem sein berühmtes »Lied von der Glocke« sowie die Stücke »Maria Stuart« und »Die Jungfrau von Orléans« vollendete.

Und heute? Schillers berühmtestes Denkmal steht in Weimar und zeigt ihn an der Seite Goethes. Seine Stücke werden weltweit gespielt und gelesen, sein Name fehlt in keinem deutschen Straßenverzeichnis. | **Adresse** Schiller-Nationalmuseum: Schillerhöhe 8, 71672 Marbach, www.dla-marbach.de (Di–So 10–18 Uhr); Schillers Wohnhaus in Weimar: Schillerstraße 12, 99423 Weimar, www.klassik-stiftung.de (24. März–29. Okt. 9.30–18.30, Okt.–23. März 9.30–16 Uhr) | **Bild oben** Schiller-Porträt von Anton Graff (1791) | **Bild unten** Das Schiller-Nationalmuseum in Marbach (rechts)

93 __ Karl Friedrich Schinkel
Oberarchitekt der Preußen

Karl Friedrich Schinkel ist in Berlin allgegenwärtig. Zwei seiner einflussreichsten Bauten stehen noch: Wie das Schauspielhaus am Gendarmenmarkt präsentiert sich auch das Alte Museum mit originalgetreu rekonstruierter Fassung. Der 1830 eröffnete Prachtbau war noch am 8. Mai 1945 völlig ausgebrannt, um heutzutage wieder Schinkels klassizistische Meisterschaft zu belegen.

Der Sohn eines protestantischen Theologen war ein Multitalent: Architekt und Stadtplaner, Maler und Designer, Visionär und Amtsmann. Als Student der Berliner Bauakademie verbrachte er viel Zeit auf den Baustellen der wachsenden Stadt. 1800 setzte der 19-Jährige sein erstes eigenes Werk in die Welt: den Pomonatempel am Potsdamer Pfingstberg. Bereits dieses kleine Teehaus orientiert sich an der griechischen Klassik, die zum entscheidenden Vorbild für Schinkels Schaffen werden sollte. Dem Einfluss seines Freundes Wilhelm von Humboldt verdankte er 1810 die Anstellung bei der Berliner Oberbaudeputation. Auf dem Höhepunkt seines Erfolgs wurde er 1815 zum Geheimen Oberbaurat ernannt. Schinkel war damit verantwortlich für die repräsentative Ausgestaltung der preußischen Hauptstadt. Fortan kam an ihm niemand vorbei, der hier etwas aufbauen wollte.

Der Workaholic Schinkel starb, gelähmt von mehreren Schlaganfällen, nach langem Siechtum 1841 in seiner Berliner Dienstwohnung. Stets hatten seine Interessen über die Grenzen Berlins hinausgereicht. Schinkel konzipierte detaillierte Pläne für einen Palast auf der Akropolis und die Vollendung des Kölner Doms. Nach einem Entwurf von König Friedrich Wilhelm III. gestaltete er das 1813 eingeführte Eiserne Kreuz, das er im Jahr darauf anstelle des ursprünglichen Lorbeerkranzes in die Quadriga am Brandenburger Tor setzen ließ. Nach seinem von einem Kreuz gekrönten Kriegerdenkmal auf dem Kreuzberg (1821) wurde im Übrigen auch der populäre Kiez benannt.

Und heute? Die Liste Schinkelscher Gebäude ist lang, zu ihr gehören das Berliner Schloss Klein-Glienicke, das Düsseldorfer Stadthaus und das Aachener Theater. Sein Denkmal steht – wenn nicht gerade gebaut wird – auf dem Schinkelplatz in Berlin-Mitte. | Adresse Altes Museum: Am Lustgarten, 10178 Berlin, www.smb.museum (Di, Mi, Fr–So 10–18, Do 10–20 Uhr) | **Bild oben** Schinkel auf einem Gemälde von Carl Begas (1826) | **Bild unten** Das Berliner Schauspielhaus um 1825

94 Heinrich Schliemann
Der Entdecker von Troja

Im alten Pfarrhaus von Ankershagen verlebte Heinrich Schliemann seine Kindheit, und hier befindet sich heute sein Museum. Der Weg vom Pennäler in Mecklenburg zum weltweit gefeierten Entdecker Trojas verlief zunächst recht holprig. Nach einer Lehre als Handelsgehilfe fand er seine erste Bestimmung als Kaufmann. Er investierte in Russland sowie in den USA und wurde mit Import-Export-Geschäften ein reicher Mann. Dabei kam ihm eine Fähigkeit zugute, von der er auch später als Forscher profitierte: Heinrich Schliemann war ein Sprachgenie. Bis zu seinem Tod erlernte er 20 Fremdsprachen, darunter Altgriechisch, Arabisch und Sanskrit. 1868 sagte er seinen Geschäften Ade und machte sich auf seine erste Expedition in antike Gefilde.

Nach eigenen Angaben träumte Schliemann bereits als 8-Jähriger von jener mythenumwobenen Stadt irgendwo in Kleinasien, die Homer in der Ilias beschrieben hatte. Auf ihre Spur brachte ihn der Engländer Frank Calvert, der auf dem Hügel Hisarlık ein Grundstück besaß. 1871 begann dort Schliemanns erste große Grabungskampagne, die bis in eine Tiefe von zehn Metern führte. Zwei Jahre später, am 31. Mai 1873, wurde der legendäre Schatz des Priamos freigelegt. Für Schliemann war damit bewiesen, dass es sich bei diesen Ruinen um das antike Troja handelt. Um seinen wertvollen Fund nicht zu gefährden, schmuggelte er ihn zunächst außer Landes. Ein griechisches Gericht verurteilte ihn dafür zur Zahlung von 10.000 Goldfranken. Der Rechtsspruch legitimierte aus deutscher Sicht jedoch auch zugleich Schliemanns Besitz, zumal dieser freiwillig den fünffachen Betrag überwies.

Von 1871 bis zu seinem Tod wohnte Heinrich Schliemann in einer Villa in Athen. In zweiter Ehe heiratete er eine Griechin, und auch bei der Namensgebung der Kinder war eine gehörige Portion Gräkophilie mit im Spiel: Sie hießen Andromache und Agamemnon.

Und heute? Der Schatz des Priamos ist seit 1945 in russischem Besitz. Originalgetreue Kopien sind im Neuen Museum in Berlin zu besichtigen. Schliemanns Mausoleum steht auf dem Ersten Friedhof Athens. | **Adresse** Schliemann-Museum: Lindenallee 1, 17219 Ankershagen, www.schliemann-museum.de (April–Okt. Di–So 10–17, Nov.–März Di–Fr 10–16, Sa 13–16 Uhr); Neues Museum: Bodestraße 1–3, 10178 Berlin, www.smb.museum (Mo–Mi, Fr–So 10–18, Do 10–20 Uhr) | **Bild oben** Schliemann in den 1880er Jahren | **Bild unten** Das Schliemann-Museum in Ankershagen

95 Max Schmeling

Zwischen Sport und Politik

Sein sympathischstes Denkmal steht heute vor einer Turnhalle im niedersächsischen Hollenstedt. Der große Boxer: ein einfacher Mann, der den Kindern auf dem Weg zum Training einen konzentrierten Blick sendet: Wenn ihr euch anstrengt, könnt ihr alles erreichen, sagen seine Augen. Im Berliner Olympiapark hingegen steht eine ganz andere Schmeling-Skulptur: 3,75 Meter hoch, martialisch, übermenschlich. Geschaffen wurde sie 1935 von dem von Hitler geschätzten Bildhauer Josef Thorak.

Max Schmeling taugte wohl zum nationalen Helden, aber – sein Leben im Ganzen betrachtet – nicht zum nationalsozialistischen. Als die Nazi-Behörden ihn 1935 aufforderten, sich von seiner tschechischen Frau Anny Ondra, seinem jüdischen Manager Joe Jacobs und seinen anderen jüdischen Bekannten loszusagen, lehnte Schmeling dies unumwunden ab. Zugleich jedoch ließ er sich vom Regime einspannen: Als die USA erwogen, die Olympischen Spiele 1936 in Berlin wegen der Nürnberger »Rassegesetze« zu boykottieren, war es Schmeling, der sie im Auftrag des NS-Regimes umstimmte. Seinen in Deutschland berühmtesten Fight gegen den als unbezwingbar geltenden Joe Louis am 19. Juni 1936 mag er als Sportler genossen haben. Die braune Propaganda rund um diesen K. o. wirkte sich jedoch verheerend auf sein Renommee aus. Beim Rückkampf 1938 (den er klar verlor) galt er den Amerikanern längst als Nazi-Repräsentant.

Nach dem Krieg, in dem er alles verloren hatte, ließ sich der Boxweltmeister von 1930 bis 1932 dann in Hollenstedt bei Hamburg nieder. Er unterstützte die lokalen Sportvereine ebenso wie den völlig verarmten Joe Louis in Übersee. Im Nachkriegsdeutschland avancierte der Träger des Bundesverdienstkreuzes zu einer Lichtgestalt nicht nur des Sportwesens. Seine Kämpfe, Fehlentscheidungen und Schicksalsschläge scheinen seiner Gesundheit nicht geschadet zu haben. Max Schmeling starb mit 99 Jahren.

Und heute? 1992 wurde Schmeling in die International Boxing Hall of Fame aufgenommen. Neben den erwähnten stehen weitere Denkmäler in seiner Geburtsstadt Klein-Luckow und in Benneckenstein (Harz). | Adresse Denkmal Hollenstedt: Jahnstraße, 21279 Hollenstedt; Josef-Thorak-Plastik »Der Faustkämpfer«: Olympiagelände nahe Schwimmbad, 14053 Berlin; Deutsches Sportmuseum: Im Zollhafen 1, 50678 Köln, www.sportmuseum.de (Di–Fr 9–18, Sa, So 11–19 Uhr) | Bild oben Max Schmeling 1938 | Bild unten Sein Denkmal in Hollenstedt

96 — Sophie Scholl

»Sag nicht, es ist fürs Vaterland«

Vom Forchtenberger Rathaus führt der »Hans-und-Sophie-Scholl-Pfad« hoch zu jener Kirche, in der Sophie im Mai 1921 getauft wurde. Ihre Jugend verbrachte sie zunächst im Glauben an die nationalsozialistischen Ideale. In Ulm, wo die Familie ab 1932 wohnte, trat sie dem Bund Deutscher Mädel (BDM) bei und engagierte sich als Gruppenführerin. Dass die Nazis die traditionsreichen bündischen Jugendgruppen auszuschalten versuchten, markierte vermutlich einen Wendepunkt in Sophies Anschauungen. Im Herbst 1937 wurde sie in diesem Zusammenhang selbst kurzzeitig festgenommen. Zwei Jahre später schrieb sie ihrem Freund Fritz Hartnagel an die Front: »Ich kann es nicht begreifen, dass nun dauernd Menschen in Lebensgefahr gebracht werden von anderen Menschen. Ich kann es nie begreifen und ich finde es entsetzlich. Sag nicht, es ist fürs Vaterland.«

Ihre Zeit als aktive Widerstandskämpferin begann im Sommer 1942, nachdem sie sich in München zum Studium der Biologie und Philosophie eingeschrieben hatte. Hier trat sie der von ihrem Bruder Hans mitbegründeten Gruppe »Weiße Rose« bei. Die fast ausschließlich studentischen Mitglieder druckten insgesamt sechs Flugblätter, in denen sie die Verbrechen der NS-Diktatur offen ansprachen und unmissverständlich zum Widerstand und Sturz des NS-Regimes aufriefen. Bald schon waren die zunächst unbekannten Aufrührer zur Fahndung ausgeschrieben.

Am 18. Februar 1943 wurden Sophie und Hans bei einer Flugblattaktion an der Ludwig-Maximilian-Universität festgenommen und der Gestapo übergeben. In den dreitägigen Verhören versuchten sie alle Verantwortung auf sich zu lenken, um ihre noch in Freiheit lebenden Freunde zu schützen. Am darauffolgenden Morgen führte man die Geschwister vor den »Volksgerichtshof« des Richters Roland Freisler, der sie samt dem ebenfalls verhafteten Christoph Probst umgehend zum Tode verurteilte.

Und heute? Vor der Ludwig-Maximilians-Universität in München erinnert ein Bodendenkmal an die Flugblätter der Weißen Rose. In ihrem Geburtsort Forchtenberg wurde der Hans-und-Sophie-Scholl-Pfad eingerichtet. | **Adresse** Ludwig-Maximilians-Universität: Professor-Huber-Platz 2, 80539 München, www.uni-muenchen.de; Hans-und-Sophie-Scholl-Pfad: 74670 Forchtenberg, www.forchtenberg.de | **Bild oben** Sophie Scholl (undatiert) | **Bild unten** Bodendenkmal der Weißen Rose vor der Ludwig-Maximilians-Universität in München

97 Robert Schumann

Komponist und Claras Mann

Als 13-Jähriger half er seinem Vater bei der Arbeit an einem Buch: »Bildnisse berühmter Menschen aller Völker und Zeiten«. Für die Aufnahme in ein Kompendium über berühmte Deutsche qualifiziert ihn jedoch eher sein Werk als dieser frühe Job. Zuweilen fröhlich, manchmal sperrig, häufig melancholisch, aber immer tief empfunden: So erscheint Schumanns Musik der Nachwelt. Mit seinen Liederzyklen zu Gedichten von Heine, Eichendorff und Chamisso wurde er zu einem bedeutenden Komponisten der Romantik. Orchesterwerke wie die euphorische »Rheinische Sinfonie« (1850) oder seine 1838 notierten »Kinderszenen« für Klavier sichern ihm einen Platz im Musikolymp.

Schumanns Privatleben stand im Zeichen harter Kämpfe. Schon 1832 hatten falsche Lehrmethoden zu einer Lähmung seines rechten Mittelfingers geführt und seine Laufbahn als Pianist für immer beendet. Die Liebe zu Clara Wieck stieß auf massiven Widerstand ihres Vaters, die Eheschließung 1840 musste gerichtlich erfochten werden. Intensive Schaffensphasen wechselten sich ab mit Perioden totaler Lähmung, und frühe Anzeichen dieser Krankheit gingen einher mit Eifersuchtsanfällen wegen Claras Erfolgen am Klavier. Zugleich jedoch trugen die Tourneen der Starpianistin enorm zur Verbreitung seines Werkes bei.

Noch 1836 komponierte Schumann eine Sinfonie als Beitrag für ein geplantes Bonner Beethoven-Denkmal. 18 Jahre später lebte er selbst in der Stadt am Rhein – in einer Nervenheilanstalt. Geplagt von der Syphilis und manisch-depressiven Schüben, hatte er sich von einer Düsseldorfer Brücke gestürzt und war dem Tod nur knapp entronnen. Das Sanatorium sollte er nicht mehr verlassen. Robert Schumann starb, verfolgt von Wahnvorstellungen, am 29. Juli 1856. Seine Frau Clara, die ihn auf Anraten der Ärzte erst zwei Tage vor seinem Tod erstmals besucht hatte, überlebte ihn um 40 Jahre.

Und heute? Museen stehen in Zwickau (Geburtsstadt), Leipzig (unter anderem Studienort) und Bonn (wo er starb). | Adresse Schumann-Haus Zwickau: Hauptmarkt 5, 08056 Zwickau, www.schumannzwickau.de (Di–Fr 10–17, Sa, So 13–17 Uhr); Robert- und-Clara-Schumann-Verein Leipzig: Inselstraße 18, 04103 Leipzig, www.schumann-verein.de (Di–Fr 14–18, Sa, So 10–18 Uhr); Schumann-Haus Bonn: Sebastianstraße 182, 53115 Bonn, www.schumannhaus-bonn.de (Di–Fr 11–13.30 und 15–18 Uhr) | Bild oben Schumann-Porträt (1839) | Bild unten Im Zwickauer Schumann-Haus

98 ___ Siegfried der Drachentöter

Ein sagenhafter Nationalheld

Siegfried ist der zweite germanische Superheld nach Hermann dem Cherusker (siehe Seite 16). Verschiedene Sagen ordnen ihm eine jeweils eigene Biografie zu, am bekanntesten wurde das Nibelungenlied. Das Epos um Krieg und (ein bisschen) Frieden, um Liebe und Hass, Verrat und Ehre, Männlichkeit und Weiblichkeit hat seine historischen Wurzeln in den Zeiten der spätantiken Völkerwanderung. Verschmelzungen mit anderen historischen Ereignissen sowie deren literarische Überformung verleihen dem Werk jedoch einen ganz eigenen Anstrich. Obwohl er bereits im ersten Teil stirbt, ragt der junge Siegfried aus dem Ensemble komplexer Charaktere noch ein Stückchen heraus. Geboren in Xanten am Niederrhein, zieht er gen Worms, um dort um die schöne Kriemhild zu werben. Die burgundische Königstochter hatte zwar einst geschworen, sich nie an einen Mann zu binden, aber bei Siegfried wird sie schwach.

Nur am Rande erwähnt wird im Nibelungenlied Siegfrieds berühmter Kampf mit dem Drachen. Nachdem er ihn getötet hatte, badete er in dessen Blut, um so unverwundbar zu werden. Unbemerkt jedoch legte sich ein Linden- auf sein Schulterblatt, ein Missgeschick, das Hagen von Tronje später bei der feigen Ermordung Siegfrieds ausnutzen sollte. Sowohl in Xanten als auch in Worms existieren Nibelungen-Museen. Am greifbarsten jedoch wird der Mythos im Siebengebirge bei Bonn. Die Nibelungenhalle auf dem Drachenfels wurde 1913 anlässlich des 100. Geburtstages von Richard Wagner eröffnet. Ganz und gar dem Nationalismus des 19. Jahrhunderts entwachsen – samt verquaster Runenromantik und Swastikaverzierungen an der Fassade –, kann man sich ihrer Wirkung dennoch nicht entziehen. Mystisch düster ist es dort, Wagnermusik wabert zwischen nebelhaften Nibelungengemälden. Und hinten durch, wieder im Freien, lauert sogar ein Lindwurm.

Und heute? Berühmt unter Cineasten ist Fritz Langs Stummfilm »Die Nibelungen« von 1924. | **Adresse** Nibelungenhalle: Drachenfelsstraße 107, 53639 Königswinter, www.nibelungenhalle.de (Mitte März–Okt. täglich 10–18, Nov.–Mitte März Sa, So 11–16 Uhr); Siegfied Museen: Kurfürstenstraße 9, 46509 Xanten, www.xanten.de (täglich 10–17 Uhr); Nibelungenmuseum: Fischerpförtchen 10, 67547 Worms, www.nibelungenmuseum.de (Di–Fr 10–17, Sa, So 10–18 Uhr) | **Bild oben** Siegfried weckt Brünhild (Stich von 1892) | **Bild unten** Der Drachen vom Drachenfels

99 Karlheinz Stockhausen

Pionier der elektronischen Musik

Künstler glänzen durch ihre Werke. Aber manchmal reicht auch schon der Blick auf die Bewunderer, um ihre Größe zu ermessen. Auf den Komponisten Karlheinz Stockhausen berufen sich einige der herausragenden Musiker der Nachkriegszeit, darunter Miles Davis, John Cale von Velvet Underground oder Aphex Twin Richard James. Letzterer markiert zugleich die Grenzen zwischen Popmusik und Stockhausens Elektronik. Als sein großer Verehrer James es einst wagte, ihm ein Album zu schicken, antwortete Stockhausen sinngemäß, das sei doch alles recht bieder und langweilig.

Der große Innovator stammte aus ärmlichen Verhältnissen – sein Vater starb als Soldat, seine depressive Mutter als Opfer der NS-Euthanasie. Dennoch brachte er es bis zum Abitur und studierte danach in Köln Klavier und Musikwissenschaften. Sein Interesse galt der Neuen Musik, aber auch deren Grenzen sollten erweitert werden. Zugunsten eines kompositorischen Perfektionismus rückte er das Orchester in den Hintergrund, Stockhausen wurde zum Pionier der Elektronischen Musik. 1953 kam er erstmals in Kontakt mit dem legendären Studio für Elektronische Musik des Westdeutschen Rundfunks, das für die nächsten 45 Jahre zu seinem künstlerischen Labor werden sollte. Dort entstanden Mitte der 1950er Jahre auch seine ersten erfolgreichen elektro-akustischen Werke – Musik, wie sie zuvor niemand gehört hatte.

Wenn er auch nie die breiten Massen erreichte, wurde Stockhausen doch weltberühmt. Alle großen Häuser zwischen New York und Mailand schmückten sich früher oder später mit Stockhausen-Aufführungen, er wurde zur Weltausstellung in Osaka eingeladen und mit Preisen überhäuft. Weil seine Musik arg sperrig wirkt und der Meister zuweilen spinnerte Meinungen äußerte, sah er sich manchem Angriff ausgesetzt. Aber Stockhausen, der schräge Visionär, war viel zu sehr von seiner Arbeit überzeugt, als dass ihn so etwas je angefochten hätte.

Und heute? Stockhausens Werk lebt fort in den Musikhäusern der Welt. In seinem Wohnort Kürten residiert die Stockhausen-Stiftung für Musik. Wie im genannten WDR-Studio gibt es keine Besucherzeiten. | **Adresse** Stiftung: Kettenberg 15, 51515 Kürten, www.karlheinzstockhausen.org | **Bild** Stockhausen 1956 im Studio für elektronische Musik des WDR

100 Klaus Störtebeker

Elf Mann, ein Kapitän

Wie der Schinderhannes (siehe Seite 34) den Mythos der deutschen Wälder bediente, so steht Klaus Störtebeker (»Stürz den Becher«) für den von Seemannsgarn umwobenen Freibeuter der Meere. Die schaurigste Geschichte rankt sich um seine Hinrichtung auf dem Hamburger Grasbrook: Alle seine Männer, so bat er sich aus, an denen er mit abgeschlagenem Kopf noch vorbeilaufe, sollten freigelassen werden. Elf schaffte er, bis ihm der Henker ein Bein stellte. Weil der Bürgermeister sein Versprechen brach, starben auch sämtliche 72 Spießgesellen.

Sein Nachruhm ist gesichert, davon zeugen nicht zuletzt die alljährlichen Störtebeker-Festspiele etwa auf Rügen. Historisch belegen lässt sich jedoch noch nicht einmal sein Name. Im »Verfestungsbuch« der Stadt Wismar ist für 1380 ein Nikolaus Störtebeker als Teilnehmer einer Prügelei dokumentiert. Laut dieser Quelle war der große Pirat allerdings Opfer der Hiebe, anstatt selbst ausgeteilt zu haben. Ab 1394 jedoch verzeichnen englische Klageakten Überfälle auf Kaufmannsschiffe, die Störtebeker im Zentrum sehen. Dabei seien vor allem Wolle und Bier geraubt worden. Der geschichtliche Hintergrund: Nach der dänischen Besetzung Stockholms 1391 hatte sich Störtebeker wie viele andere als Partisan anheuern lassen, um den Mecklenburg verbundenen Schweden zu Hilfe zu eilen. Die »Vitalienbrüder« versorgten die darbenden Nordmenschen mit Lebensmitteln. Als der Krieg gewonnen war, wandelten sie sich – nun unter Störtebekers Kommando – zu unabhängigen Korsaren. Als »Likedeeler« teilten sie die Beute angeblich nicht nur fair untereinander, sondern gaben auch stets den Armen ihren Anteil.

Aber jede Kaperfahrt hat einmal ein Ende. 1400 wurde Störtebekers Schiff »Roter Teufel« vor Helgoland gestellt, er und die Mannschaft nach Hamburg vor Gericht verbracht. Dort starb er unter dem Henkersbeil. Und wie es dann weiterging ... Wer weiß das schon.

Und heute? Störtebekers Geschichte wird im Hamburg-Museum aufgearbeitet. Ein Denkmal steht an der Hamburger Osakaallee/Nähe Busanbrücke in der HafenCity. | **Adresse Hamburg-Museum:** Holstenwall 24, 20355 Hamburg, www.hamburgmuseum.de (Di−Sa 10−17, So 10−18 Uhr); Störtebeker-Festspiele Ralswiek/Rügen: www.stoertebeker.de | **Bild oben** Störtebeker-Rekonstruktion (Hamburg-Museum) | **Bild unten** Schädel eines um 1400 am Grasbrook Hingerichteten, Vorlage für obige Rekonstruktion (Hamburg-Museum)

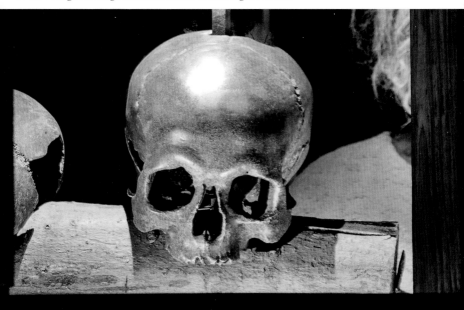

101 Levi Strauss

Der Vater der Bluejeans

Sein Geburtshaus im fränkischen Buttenheim dient heute als Museum mit angeschlossenem Shop. Und was man dort kaufen kann, ist klar: Jeans. Denn der hier aufgewachsene Löb (später: Levi) Strauss gilt als der Erfinder dieser weltweit meistgetragenen Hose.

Sein Vater Hirsch Strauss hatte die Familie als Hausierer durchgebracht, bevor er 1846 starb. Angesichts ihrer wirtschaftlichen Not entschloss sich Mutter Rebecca zwei Jahre später, nach Amerika auszuwandern. Levi half dort zunächst im Textilgroßhandel seiner älteren Brüder aus. Der Goldrausch trieb ihn jedoch 1853 nach San Francisco, wo er ebenfalls unter anderem mit Stoffen handelte. Schon bald fiel ihm auf, dass man für die Schürf- und Minenarbeit robuste Beinkleider benötigte. Vor allem die mit Werkzeug und Gestein vollgestopften Taschen der Digger rissen immer wieder auf. 1870 kam dem Schneider Jacob Davis der Einfall, die Taschenecken mit Metallnieten zu versehen. Gemeinsam mit Levi meldete er das Verfahren 1873 zum Patent an – und es begann eine gigantische Verkaufswelle. Die vernieteten »Waist Overalls« wurden bald in Fabriken produziert, schon 1883 arbeiteten 535 Menschen für die Firma. Als Levi Strauss 1890 Produktionsnummern einführte, wurde die Five-Oh-One, die 501, geboren.

Den Wandel von der Malocherhose zum Kultobjekt sollte der Firmengründer nicht mehr erleben. Nicht zuletzt Filmstars wie James Dean, Marlon Brando und später Brad Pitt sorgten dafür, dass die Jeans zum Symbol für Jugendlichkeit und Rebellion aufstieg. Schon immer hatten die Levi's aus blauem Denim (kurz für das französische Baumwollgewebe »Serge de Nîmes«) bestanden. Ab 1922 verdrängten Gürtelschlaufen die Knöpfe für die Hosenträger. Aber es sollte noch bis 1948 dauern, bis auch in Europa die ersten Jeans vernäht wurden. Ihr Markenname ab 1958: Mustang.

Und heute? Levi Strauss & Co. ist heute ein milliardenschweres Unternehmen, die Jeans aus dem Alltag nicht mehr wegzudenken. | Adresse Levi-Strauss-Museum: Marktstraße 31–33, 96155 Buttenheim, www.levi-strauss-museum.de (März–Okt. Di, Do 14–18, Sa, So 11–17, Nov.–Feb. Di, Do 14–17, Sa, So 11–17 Uhr) | Bild oben Levi Strauss um 1850 | Bild unten Das Levi-Strauss-Museum in Buttenheim

102 Theophanu
Eine Griechin als deutsche Kaiserin

Ihr Sarg in der Kölner St. Pantaleonskirche besteht aus weißem griechischen Marmor. Ein Stirnseitenrelief zeigt die Hagia Sofia aus Konstantinopel neben der Kölner Basilika – als Symbol für die zu Zeiten Theophanus noch vereinigte Kirche. Theophanus Geschichte wurde oft erzählt, aber sie bleibt so spannend wie rätselhaft. Wie wird aus einem griechischen Mädchen eine römisch-deutsche Kaiserin? Wie gelang es ihr, in so kurzer Lebenszeit solche Anerkennung zu gewinnen? Und warum schließlich wollte Theophanu ausgerechnet in Köln beerdigt werden?

Erste Wahl war Theophanu zunächst einmal nicht, als Kaiser Otto I. nach einer Gattin für seinen Sohn suchte. Aus diplomatischen Gründen sollte es eine Tochter des byzantinischen Herrschers sein, aber daraus wurde trotz zäher Verhandlungen nichts. Also kam im Jahre 972 Theophanu, die zwölfjährige Nichte, als Kompromisskandidatin. Als Otto II. bereits 983 starb, war sie 23 und der gemeinsame Sohn gerade einmal drei Jahre alt. Fortan regierte sie also allein, und dank ihrem Geschick und der umfassenden Bildung, die sie in Byzanz genossen hatte, ausgesprochen erfolgreich. Bis zu ihrem eigenen, viel zu frühen Tod war sie nun die mächtigste Frau des Abendlandes.

Mit Erzbischof Gero lernte sie ihren ersten Kölner kennen – er begleitete sie auf ihrem Weg zur Hochzeit in Rom. Gero soll damals Reliquien des heiligen Pantaleon im Gepäck gehabt haben, die ihr Interesse geweckt haben mögen. Spätestens 987 weilte sie erstmals länger in Köln und wiederholte diese Besuche in der Folge häufig. Die Liebe zum Rhein war sogar groß genug, um hier auch mehrere Winter zu verbringen. Immer blieb sie dabei St. Pantaleon verbunden, sei es durch die Überführung der Gebeine des heiligen Albinus oder durch die Finanzierung von Erweiterungsbauten wie dem imposanten Westwerk. Und dort, vor der Tür zum Aufgang, liegt sie nun seit über 1.000 Jahren.

Und heute? Nach der Kölner Griechin ist die Kaiserin-Theophanu-Schule in Köln-Kalk benannt, ihre Figur am Rathausturm steht an der Westseite des Erdgeschosses. | Adresse St. Pantaleon: Am Pantaleonsberg 10a, 50676 Köln, www.sankt-pantaleon.de (Mo−Sa ab 9, So ab 12 Uhr) | Bild oben Theophanus Statue am Kölner Rathausturm | Bild unten Theophanus Sarkophag in St. Pantaleon/Köln

103 Beate Uhse

Fachfrau für »Ehehygiene«

Wer Tabus bricht, braucht Mut. Und wer damit auch noch Geld verdienen will, benötigt zudem Unternehmergeist. Mit beidem war Beate Uhse reichlich gesegnet. Dass es ihr nie an Courage fehlte, belegt ihr großes Hobby, die Kunstfliegerei. Schon mit 17 steuerte sie erstmals eine Maschine im Alleinflug. Bald darauf legte sie ihre Kunstflugprüfungen ab und arbeitete schließlich als Überführungspilotin – zunächst im zivilen Bereich, später im Rang eines Hauptmanns für das Nazi-Regime.

Ihre große Stunde schlug jedoch nach der Entlassung aus britischer Gefangenschaft. Durch ihre Mutter, eine Ärztin, einschlägig vorgebildet, vertrieb sie im verklemmten Nachkriegsdeutschland eine Broschüre zur Verhütung nach Knaus-Ogino. Der Erfolg war überwältigend und verschaffte ihr ein ordentliches Startkapital. 1951 gründete sie das »Versandhaus Beate Uhse«. 1962 folgte in Flensburg die Eröffnung ihres »Instituts für Ehehygiene«, des ersten Sexshops der Welt.

Beate Uhse verstand es wie nur wenige, den Sexualakt und alles Drumherum zu entdämonisieren. Nichts ist verboten, weil ohnehin nichts erlaubt werden muss: Geschlechtsverkehr ist das Normalste der Welt, so lautete ihr Credo. Und damit auch Frauen uneingeschränkt genießen können, müssen Verhütungsmittel auf den Markt. Öffentlich bekämpft und verachtet, aber heimlich gefeiert – das war lange ihre Stellung in der bundesrepublikanischen Gesellschaft. Aber die Zahlen sprachen von Anfang an für sich: Die Nachfrage war riesig, die Produktpalette wuchs, und das Netz der Sexshops wurde immer dichter. Beate Uhse starb als reiche, einflussreiche Frau, die sich nie hatte unterkriegen lassen. Nachdem man ihr Ende der 1950er die Aufnahme in einen Flensburger Tennisclub verweigert hatte, ließ sie sich ihren eigenen Platz anlegen. Das Training dort zahlte sich aus. 1978 gewann Beate Uhse die Flensburger Seniorenmeisterschaft im Damendoppel.

Und heute? Am Marienkirchhof 4 in Flensburg, wo sie 1948 bis 1961 wohnte, hängt eine Gedenktafel. Ebenfalls in Flensburg erinnert eine kleine Straße an sie, die man verschämt »Beate-Rotermund« taufte – nach ihrem zweiten Mann. Ihr Leben wurde 2011 mit Franka Potente in der Hauptrolle verfilmt (Beate Uhse – Das Recht auf Liebe). | Adresse Konzern: www.beate-uhse.com; Gedenktafel: Am Marienkirchhof 4, 24937 Flensburg | Bild oben Beate Uhse mit Flugzeug | Bild unten Beate-Uhse-Shop

104 Uta von Naumburg

Die schönste Frau des Mittelalters

Eigentlich sieht man nur ihr Gesicht und unten eine feingliedrige Hand, die aus dem wallenden Gewand gefunden hat. Mandelförmige Augen blicken unter feinen Brauenbögen in die Ferne, und die schmale Nase läuft in hübsch geschwungene Flügel aus. Darunter: ein vollendeter Mund mit skeptisch (berechnend?) aufgeworfener Unterlippe. Kein Wunder, dass Umberto Eco in seiner »Geschichte der Schönheit« schrieb: »Wenn Sie mich fragen würden, mit welcher Frau in der Geschichte der Kunst ich mich gern zum Abendessen verabreden und einen gemeinsamen Abend verbringen würde, wäre da zuerst Uta von Naumburg.« Aber wer schuf sie, und wen stellt sie dar, diese bewunderte Skulptur?

Über den »Naumburger Meister« ist nicht viel bekannt. Der namenlose Steinmetz mag sein Handwerk bei den führenden gotischen Bildhauern in Frankreich gelernt haben, bevor er nach Naumburg kam. Dort schuf er Mitte des 13. Jahrhunderts jene zwölf Stifterfiguren, zu denen auch die Uta gehört. Ihr Vorbild war zur Entstehungszeit der steinernen Nachbildung bereits 200 Jahre tot. Und auch über Uta von Ballenstedt weiß man recht wenig. Geboren am Ostrand des Harzes, entstammte sie dem alten Adelsgeschlecht der Askanier. Vielleicht im Kloster Gernrode brachte man ihr Lesen, Schreiben und die ihrem Stand gemäßen Umgangsformen bei. Um 1026 wurde sie mit Ekkehard II., Markgraf von Meißen, verheiratet. Als Berater des Kaisers hatte er eine sehr hohe Stellung inne. Historische Quellen belegen, dass sich Uta vor allem als Stifterin hervortat. Der Bau des romanischen Doms St. Peter und St. Paul, Vorgänger des Naumburger Wahrzeichens, wurde von ihr maßgeblich vorangetrieben. Rund zwei Jahre nach seiner Einweihung starben sowohl Uta als auch ihr Gatte. Ihre Ehe war kinderlos geblieben, wahrscheinlich hätte man Uta heute vergessen. Wenn nicht diesem anonymen Steinmetz ein Jahrtausendwurf gelungen wäre.

Und heute? Utas Gesicht wurde und wird zigtausendfach reproduziert. Ihr Dom ist ein Touristenmagnet. Alle zwei Jahre findet in Naumburg das UTA-Treffen für Namensvetterinnen der Dom-Stifterfigur statt (www.naumburg.de). | **Adresse** Naumburger Dom, Domplatz 16, 06618 Naumburg, www.naumburger-dom.de (März–Okt. Mo–Sa 9–18, So 11–18, Nov.–Feb. Mo–Sa 10–16, So 12–16 Uhr) | **Bild oben** Uta von Naumburg | **Bild unten** Der Naumburger Dom

105__ Veleda

Seherin der Germanen

Tacitus beschrieb sie als »hochgewachsene Jungfrau«, eine »einflussreiche Seherin«, die bei den Germanen über »große Macht« verfügte. Wo genau sie geboren wurde, wo sie lebte, blieb bis heute unklar. Die einen verorten den Turm, in dem sie wohnte, bei Lippstadt. Die anderen spekulieren, sie könne im Turmfels der Externsteine im Teutoburger Wald oder in Rauendahl bei Hattingen an der Ruhr gelebt haben. So oder so rankt sich ein Mythennebel um diese Frau aus dem Stamm der Brukterer.

Seherinnen hatten unbestritten Einfluss bei den Germanen, und Veleda scheint auf ihrem Gebiet eine echte Koryphäe gewesen zu sein. Ihre Ratschläge waren begehrt und nicht leicht zu bekommen. Wer ihr eine Frage stellen wollte, hatte sich an ihre Bediensteten zu wenden, in direkten Kontakt mit Veleda kam man für gewöhnlich nicht. Den Höhepunkt ihrer Kunst erreichte sie im Jahr 69 nach Christus, als niedergermanische Stämme unter Führung der Bataver den Aufstand gegen die römische Besatzung planten. Nachdem Veleda den Sieg vorausgesagt hatte, begann im Juli der Feldzug. Ein Jahr lang fochten die Germanen erfolgreich gegen die besser ausgerüsteten Römer, unter anderem wurde das zeitweise mit bis zu 10.000 Legionären besetzte Lager Xanten dem Erdboden gleichgemacht. Auch die Friedensverhandlungen im Jahr 70 in Rom sollen unter Veledas Aufsicht stattgefunden haben. Für die letztlich doch unterlegenen Germanen erstritt sie annehmbare Bedingungen.

Ganz besonders müssen sich die Kölner bis heute bei Veleda bedanken. Weil die dort siedelnden Ubier seinerzeit mit den Römern kooperierten, wurden aus dem Lager der alliierten Germanen Rufe laut, die Stadt zu zerstören. Aber die weise Seherin beschwichtigte die Parteien: »Sie sind unseres Blutes«, soll sie damals gesagt haben, »und sie verehren dieselben Götter wie wir. Deshalb verschont sie, diese Kölner!«

Und heute? In Ardea bei Rom wurde 1926 eine ihr gewidmete Marmortafel gefunden. In Köln hat man eine Straße nach Veleda benannt. In Vellern bei Beckum und im Pariser Jardin du Luxembourg stehen Veleda-Statuen. Das Pharmaunternehmen Weleda ist nach der germanischen Seherin benannt. | **Adresse Statue Vellern:** Domhof 4, 59269 Vellern | **Bild oben** Veleda in Vellern | **Bild unten** Rauendahl bei Hattingen, einer der vermuteten Wohnorte Veledas

106_ Venus vom Hohle Fels

Eine urzeitliche »Mamma«

Die Beine enden irgendwo bei den Knien, eine rundliche Öse ersetzt den Kopf. Grob sind die großen Brüste herausgearbeitet, und der vom Hinterteil bis zum Bauchnabel durchgehende Spalt wirkt eher barbarisch als obszön. Aber trotz aller offensichtlichen Primitivität der Fertigung trägt dieses winzige Figürchen von nur sechs Zentimeter Höhe deutliche Spuren von Kunstwillen: Eingekerbte Parallel- und Rundmuster bedecken wie Tätowierungen den gesamten Körper der Venus vom Hohle Fels. Das Mammut, aus dessen Stoßzahn sie gearbeitet wurde, ist wahrlich nicht umsonst gestorben.

Urzeitliche Menschenfiguren fanden sich in aller Welt schon einige. Aber keine von ihnen reicht so weit zurück. Mit geschätzten 40.000 Jahren gilt die 2008 entdeckte Venus als die bislang älteste Darstellung eines Homo sapiens. Gefunden wurde sie zwischen Blaubeuren und Schelklingen am Südrand der Schwäbischen Alb, wo sich eine Höhle an die nächste reiht. Als besonders ergiebig erwies sich der Hohle Fels: Auf einen 15 Meter langen Höhlengang folgt dort eine Halle von 500 Quadratmetern, die die normalerweise knienden Archäologen immer wieder zu Luftsprüngen animierte. Weil die Täler hier sehr weit und grün sind, weil sich in den Hängen Steinböcke und anderes Wild herumtrieben, verbrachten die alten Jäger und Sammler hier gern den Winter. Ihre derzeit ältesten gefundenen Überbleibsel werden auf über 50.000 Jahre geschätzt. Und irgendwann begannen sie, kunstvolle Abbilder ihrer selbst zu schaffen.

Sinnigerweise hat man den der Venus gewidmeten Ausstellungsraum im Blaubeurener Urzeitmuseum »mamma« getauft. Auch jenseits der kleinen Figur ist das Haus gut bestückt, unter anderem mit vorzeitlichen Flöten aus Mammutelfenbein und Gänsegeierknochen. Vielleicht hat auch die Venus vom Hohle Fels einst, am Hals eines steinzeitlichen Musikers baumelnd, zu deren geheimnisvollen Tönen getanzt.

Und heute? Nach einer langen Show-Tournee wohnt die Venus nun fest in Blau-
beuren. Die Höhle im Hohle Fels kann in den Sommermonaten besichtigt werden. |
Adresse Urgeschichtliches Museum: Kirchplatz 10, 89143 Blaubeuren, www.urmu.de
(15. März–Nov. Di–So 10–17, Dez.–14. März Di, Sa 14–17, So 10–17 Uhr);
Hohle Fels: 89601 Schelklingen, www.museum-schelklingen.de/der-hohle-fels
(Öffnungszeiten siehe Website) | Bild Die Venus vom Hohle Fels

107_ Richard Wagner
Aktivist und Komponist

Wer die Gelegenheit bekommt, sich schon zu Lebzeiten sein eigenes Denkmal zu bauen, muss Außergewöhnliches geleistet haben. Am 22. Mai 1872 legte Richard Wagner den Grundstein für sein Festspielhaus auf dem Grünen Hügel in Bayreuth. Und schon vier Jahre später gingen die ersten Festspiele über die Bühne – komplett dem »Ring des Nibelungen« gewidmet. Bis heute sind die Wagner-Tage in Bayreuth fest im Terminkalender jener Elite aus Politikern, Prominenten und Musik-Enthusiasten verankert, die ein Ticket ergattern konnten.

Der junge Richard Wagner durchlebte eine heftige Sturm-und-Drang-Phase. Bevor er zum gefeierten Komponisten aufstieg, stieg er auf die Barrikaden: Im Frühjahr 1848/49 war Wagner Teil der Märzrevolution und freundete sich in Dresden mit dem russischen Anarchisten Michail Bakunin an. Radikal blieb auch zeitlebens seine Ablehnung alles Jüdischen: Wagner war durch und durch Antisemit.

Jenseits dessen schuf er ein Opernwerk, das in aller Welt Anerkennung fand und nicht selten mythisch überhöht wurde. Vom »Fliegenden Holländer« und dem »Tannhäuser« über »Lohengrin« und die »Nibelungen« bis hin zu »Tristan und Isolde«, den »Meistersingern« und dem »Parsifal« führte ein Siegeszug, der mit dem Bayreuther Festspielhaus seine architektonische Manifestation fand. Bis heute gilt der vom Komponisten maßgeblich geplante Bau als eines der klanglich besten Opernhäuser der Welt. Unter anderem ist das Wagners völligem Verzicht auf Pomp zu verdanken. Auf dem Grünen Hügel brechen keine seitlichen Logen die Soundwellen, und man sitzt auf dünn bespannten Holzstühlen, weil auch Polster Klang fressen. Holz hingegen schwingt – eine Erkenntnis, die er als junger Komponist in Riga gewonnen hatte. Der dortige Saal des Stadttheaters habe einer »Scheune« geglichen – und genauso plante er dann sein eigenes Haus.

Und heute? Die Bayreuther Festspiele finden jeweils im Sommer statt (www.bayreuther-festspiele.de), Karten sind jedoch kaum zu bekommen. Jenseits dessen kann das Festspielhaus besichtigt werden. | Adresse Festspielhaus: Festspielhügel 1, 95445 Bayreuth, Führungen siehe www.bayreuth-tourismus.de; Richard-Wagner-Museum: Richard-Wagner-Straße 48, 95444 Bayreuth, www.wagnermuseum.de (Juli, Aug. täglich 10–18, Sept.–Juni Di–So 10–18 Uhr) | Bild oben Wagner-Porträt von Cäsar Willich (1862) | Bild unten Das Festspielhaus auf dem Grünen Hügel

108 Walther von der Vogelweide

Tandaradei und Minnelyrik

Die einzige urkundliche Erwähnung Walthers stammt von 1203, als der Passauer Bischof Wolfger notierte, er habe dem Sänger fünf Solidi für den Kauf eines Pelzmantels geschenkt. Wie es ihm im Leben ansonsten erging, wissen wir nur aus seinen und seiner Kollegen Gedichten. So stammt er, um 1170 geboren, möglicherweise aus dem heutigen Niederösterreich, aber so genau weiß das niemand. Gesichert sind hingegen Aufenthalte am Wiener Hof und im thüringischen Weißensee, wo er 1212 dem Heerlager von Kaiser Otto IV. angehörte. Drei Spottgedichte über des Regenten Geiz bedeuteten das Ende dieser Beziehung.

Dass er seine letzte Ruhe – wahrscheinlich – in Würzburg fand, verdankt sich Friedrich II., dem Nachfolger Ottos als Gönner des Dichters. Von jenem nämlich erhielt Walther 1222 ein Lehen nahe der Stadt. Damals war er knapp jenseits der 50 und hatte noch acht Jahre zu leben. Wohlhabend war der Dichter offenbar nicht geworden mit seiner Lyrik, aber immerhin verschaffte ihm dieser Besitz eine feste Bleibe. »Nun fürchte ich nicht mehr den Februarfrost an den Zehen«, schrieb er.

In Walters Gedenkstein sind vier Mulden für Körner und Wasser eingelassen. Der Legende nach war es sein letzter Wille, dass an seinem Grab die Vögel gefüttert werden mögen. Flora und Fauna sind auch in seinen Texten allgegenwärtig. Siehe die erste Strophe seines berühmtesten Gedichtes: »Under der linden / an der heide, / dâ unser zweier bette was, / Dâ muget ir vinden / schöne beide / gebrochen bluomen unde gras. / Vor dem walde in einem tal, / tandaradei, / schöne sanc diu nahtegal.« Und während hohe Minnelyrik normalerweise von der unerfüllten Anbetung der Geliebten handelt, kam das Pärchen unter der Linden durchaus zur Sache: »Kuster mich? wol tûsentstunt: / tandaradei, / seht wie rôt mir ist der munt.«

Und heute? Walthers Grabdenkmal liegt im versteckten Lusamgärtchen hinter dem Würzburger Dom. Auf dem Marktplatz von Weißensee steht sein Denkmal. | **Adresse** Grab im Lusamgärtchen: Innenhof an der Nordseite der Neumünsterkirche, Eingang über Martinstraße, 97070 Würzburg; Denkmal Weißensee: Marktplatz, 99631 Weißensee, www.weissensee.de | **Bild oben** Walther im Codex Manesse (1300) | **Bild unten** Sein Grab in Würzburg

109 __ Max Weber

»Staatliches Gewaltmonopol« und »Soziales Handeln«

Von seiner Villa am nördlichen Neckarufer blickte Max Weber genau auf das Heidelberger Schloss. Nachdem er hier bereits zeitweise studiert hatte, besetzte er ab 1896 den Stuhl für Nationalökonomie an der Universität Heidelberg. Über 20 Jahre sollte Max Weber – unterbrochen von Psychiatrieaufenthalten – am Neckar wohnen. Und dort begann er 1913 auch sein Hauptwerk »Wirtschaft und Gesellschaft«. Es erschien posthum 1922 und begründete die Geschichte der Soziologie als, so Weber, »Wissenschaft, welche soziales Handeln deutend verstehen und dadurch in seinem Ablauf und seinen Wirkungen ursächlich erklären will«. Webers Buch führte zudem die Begriffe des »Staatlichen Gewaltmonopols« sowie des »Sozialen Handelns« in den Wissenschaftsdiskurs ein, die – in weiter Fächerung – bis heute zu den Grundfesten der Soziologie und Staatslehre zählen.

Schon in seiner Jugend hatte er die Werke Herodots, Ciceros, Schopenhauers und Theodor Mommsens kennengelernt. Auch Marx' und Engels' Schriften waren ihm nicht fremd. Aber der junge Weber war zunächst fasziniert vom Staatsmann Bismarck und verkehrte in nationalistisch gesinnten Kreisen. Erst die Kontakte mit italienischen Anarchisten sowie die Erfahrung des Ersten Weltkriegs wandelten ihn zu einem entschiedenen Liberalen. 1918 wurde er zum Mitbegründer der linksliberalen Deutschen Demokratischen Partei (DDP), die bei den Reichstagswahlen im Januar auf Anhieb 18,5 Prozent der Stimmen erhielt. Im selben Jahr wechselte Weber an die Universität München und erlebte die Niederschlagung der Räterepublik durch rechtsradikale Freikorpsverbände. Bevor er selbst tödlich erkrankte, rettete er dem damaligen bayrischen USPD-Vorsitzenden Ernst Toller mutmaßlich das Leben: Als Prozesszeuge attestierte der Professor dem von der Todesstrafe bedrohten Schriftsteller und Revolutionär die »absolute Lauterkeit eines radikalen Gesinnungsethikers«.

Und heute? Webers Villa, das heutige Max-Weber-Haus, beherbergt seit 1992 das Kolleg für deutsche Sprache und Kultur. Sein Salon ist erhalten geblieben. An seinem letzten Wohnhaus in der Münchner Seestraße 16 hängt eine Gedenktafel. Er ist auf dem Heidelberger Bergfriedhof begraben (Sektion E). | **Adresse** Max-Weber-Haus: Ziegelhäuser Landstraße 17, 69120 Heidelberg, www.isz.uni-heidelberg.de (tagsüber geöffnet, Salonbesichtigung nach Voranmeldung, siehe Website) | **Bild oben** Max Weber um 1918 | **Bild unten** Das Max-Weber-Haus in Heidelberg

110_Wolfram von Eschenbach

Ein mittelalterlicher Bestsellerautor

Orte namens Eschenbach gibt es so einige, und dementsprechend vielstimmig beansprucht man den berühmten Dichter für sich. Es spricht jedoch einiges dafür, dass er aus jenem Städtchen in Mittelfranken stammt, das sich seit 1917 Wolframs-Eschenbach nennt. Im Parzival spricht er an einer Stelle von seinem Haus neben der Kirche – es könnte genau am Platz seines heutigen Museums gestanden haben.

Wolfram von Eschenbachs Parzival ist das berühmteste, auch literarisch vertrackteste deutsche Epos des Mittelalters. Die Zahl der auftretenden Personen ist Legion, die Handlung verschlungen und sprunghaft. Schon Zeitgenosse Gottfried von Straßburg sprach abwertend von der »wilde maere«, während das Werk gleichzeitig zum meistkopierten des 13. Jahrhunderts avancierte. Angelehnt an die Artus-Romane des Chrétien de Troyes erzählt Wolfram hier die Geschichte des jungen Parzival, der vom sympathischen Tölpel zum Ritter der legendären Tafelrunde mutiert. Er besteht viele Kämpfe, begeht schlimme Fehler und verflucht Gott. Dennoch steigt er schließlich auf zum Hüter des Heiligen Grals, der stete Glückseligkeit und ewiges Leben verheißt. Weniger spektakulär nimmt sich demgegenüber die Parallelhandlung um den Ritterkollegen Gawan aus. Auch er muss häufig zum Schwert greifen, stürzt darüber aber nicht in persönliche Sinnkrisen. Mindestens genauso wichtig sind ihm seine Minneabenteuer, die sich der treue Parzival verbietet.

Zeugnisse zum Leben Wolframs findet man nur in seinen eigenen Werken. Der Dichter kokettierte gern mit seinem angeblichen Laientum bezüglich jeglicher Bildung. Andererseits muss sein Wissen um literarische, auch antike Traditionen immens gewesen sein. Und mit Sicherheit darf man davon ausgehen, dass er ein großer Vortragskünstler gewesen ist. Denn wenn Wolfram unterwegs war zum immer wieder nächsten Fürstenhof, hatte er keine schweren Bücher im Gepäck. Sondern nur seine Erinnerung.

Und heute? Die berühmteste Adaption des Wolfram-Stoffes ist Richard Wagners Oper »Parsifal« (1882). Neben dem Museum in Wolframs-Eschenbach steht seine 1860 von König Maximilian II. von Bayern gestiftete Brunnenstatue. | Adresse Wolfram-Museum: Wolfram-von-Eschenbach-Platz 9, 91639 Wolframs-Eschenbach, www.wolframs-eschenbach.de (April–Okt. Di–Sa 14–17, So 10.30–12 und 14–17, Nov.–März Sa, So 14–17 Uhr) | Bild oben Wolfram als Ritter im Codex Manesse (um 1300) | Bild unten Museum und Statue in Wolframs-Eschenbach

111 Konrad Zuse

Der Schöpfer des Z3

Ins Lateinbuch zeichnete er Lokomotiven, und sein liebstes Spielzeug war der Stabilbaukasten. Mit 26 Jahren schrieb er in sein Tagebuch, der Gedanke eines »mechanischen Gehirns« gehe ihm nicht mehr aus dem Kopf. Der studierte Ingenieur kündigte seinen Job bei den Henschel-Flugzeugwerken und installierte in der elterlichen Wohnung eine Erfinderwerkstatt. Bald darauf war er dann so weit, der Welt seine Schöpfung zu präsentieren.

Mit ein bisschen Chuzpe könnte man sagen, dass Konrad Zuse 1941 unser heutiges Zeitalter einläutete. Denn in jenem Jahr präsentierte er mit dem Rechner Z3 den ersten vollautomatischen, frei programmierbaren Computer der Welt. Nach dem noch mechanisch agierenden Zuse 1 war der Konstrukteur dazu übergegangen, Relais in seine Maschinen zu setzen, die fortan digital rechnen konnten. Die Z3 beherrschte sämtliche Grundrechenarten inklusive dem Wurzelziehen. Außerdem konnten Zahlen in einen digitalen Speicher geschoben und beizeiten wieder hervorgeholt werden. Für eine Addition benötigte der Rechner 0,8 Sekunden, eine Multiplikation schlug mit glatt 3, eine Wurzelziehung mit 3,2 Sekunden zu Buche.

Vor Zuses Museum in Hünfeld bei Fulda hat man 2011 den Konrad-Zuse-Lochstreifenweg eingeweiht. Die in den Boden eingelassenen Lämpchen ahmen jenen gestanzten Lochstreifen nach, der Zuses erste Rechenprogramme steuerte. Mangels Alternativen hatte er dafür anfangs handelsübliche Kino-Filmrollen benutzt. Die 1949 bei Hünfeld gegründete Zuse KG brachte es zeitweilig auf über 1.000 Mitarbeiter, bevor der Betrieb 1967 von Siemens übernommen wurde. Seinen Zeitgenossen galt Zuse, der nebenher auch ein begabter Maler war, als äußerst verschlossener Charakter. Ein Mann, der lieber an seinen Maschinen werkelte, als sozialen Umgang zu pflegen. Persönlich führte er die Menschenscheu auf seine schon von Berufs wegen recht schweigsamen Vorfahren väterlicherseits zurück: pommersche Schäfer.

Und heute? Zahlreiche technische Institute sind nach Konrad Zuse benannt, der Chaos Computer Club führt ihn als Ehrenmitglied. Wie in Hünfeld steht auch in Bad Hersfeld, wohin die Zuse KG 1957 wechselte, ein Denkmal des Gründers. | **Adresse** Konrad-Zuse-Museum: Kirchplatz 4–6, 36088 Hünfeld, www.zuse-museum-huenfeld.de (Fr–Mi 15–17 Uhr); Deutsches Museum: Museumsinsel 1, 80538 München, www.deutsches-museum.de (täglich 9–17 Uhr) | **Bild oben** Konrad Zuse (undatiert) | **Bild unten** Zuses Z3-Rechner

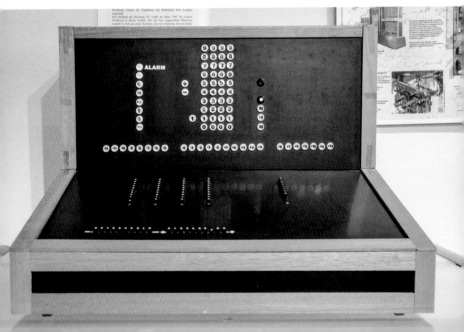

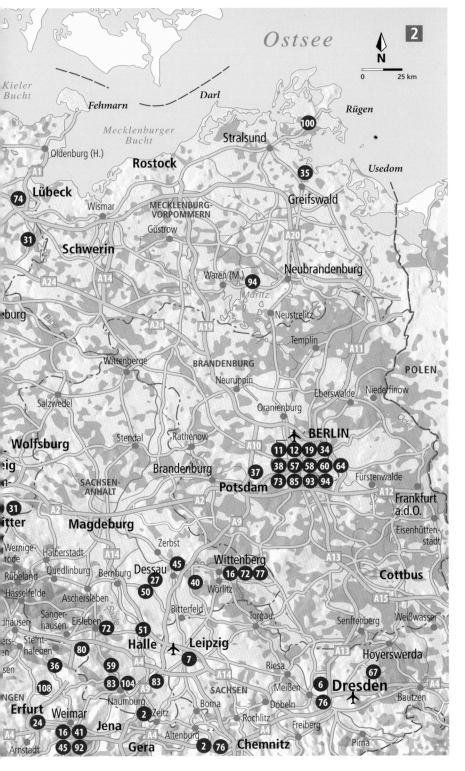

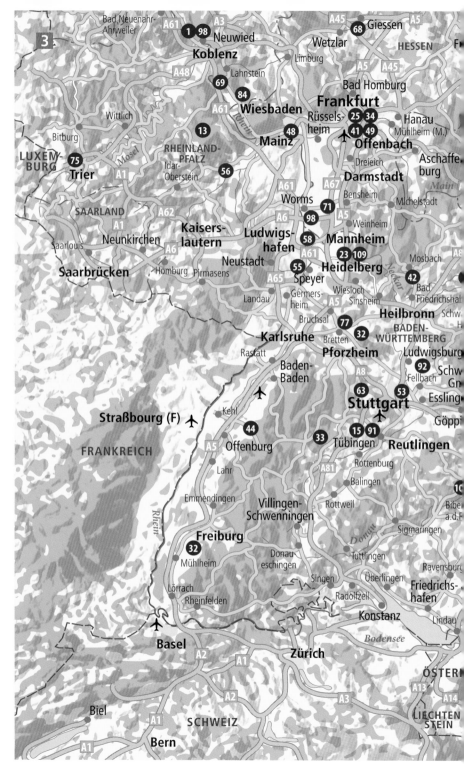

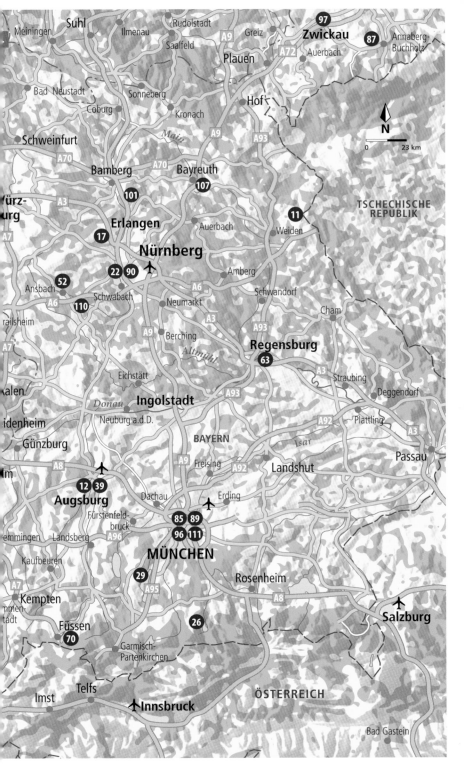

Der Autor

Bernd Imgrund wurde 1964 in Köln geboren und mit Kölsch getauft. Er war Messdiener, Totaler Kriegsdienstverweigerer und Redakteur eines Stadtmagazins. Seine über 20 Romane und Sachbücher beschäftigen sich u. a. mit Kneipen, Tischtennis und der männlichen Psyche. Er schrieb eine Kulturgeschichte des Skatspiels (»Das Skat-Lesebuch«) sowie den Schelmenroman »Quinn Kuul«. Im Emons Verlag erschienen u. a. der satirische Reiseführer »Ölle – Die Stadt am Niehr« und der Roman »Fränki«. Außerdem ist er Autor der Reisereportage »Kein Bier vor Vier. Meine 100-tägige Kneipentour durch die Republik«. Seine »Köln-Kolumne« veröffentlicht er als wöchentlichen Writer's Blog auf der Verlags-Website sowie unter www.emons-verlag.blogspot.com.

Bernd Imgrund
DAS KÖLN-ALBUM
ISBN 978-3-95451-496-0

»Eine amüsante Chronik in Bildern zu
Themen, die zum ewigen Gesprächsstoff der
Kölner gehören.« Kölner Stadt-Anzeiger

Bernd Imgrund
ÖLLE - DIE STADT AM NIEHR
Broschur, 208 Seiten
ISBN 978-3-89705-530-8

»Unbeschwert lesenswert.«
Kölner Stadt-Anzeiger
»Bernd Imgrund ist mit ›Ölle‹ ein Kultbuch
gelungen.« Report-K.de

Bernd Imgrund
FRÄNKI
Roman
Broschur, 208 Seiten
ISBN 978-3-89705-548-3

»Bernd Imgrund ist ein deftiges Stück Literatur
gelungen.« StadtRevue
»Der Leser freut sich über einen Einblick in die
politisch völlig unkorrekte Lebenswelt eines Verlierers.
Gut gemachte, unterhaltsame Popliteratur.« ekz

Bernd Imgrund
»OHNE RHEIN KEIN DOM«
33 spannende und ungewöhnliche
Gespräche aus dem Kölner Leben
Broschur, 208 Seiten
ISBN 978-3-89705-713-5

»Das Buch bringt den Lesern die Stadt auf
eine äußerst vielschichtige Weise näher.«
Westdeutsche Zeitung
»Ein interessantes Buch: abwechslungsreich
und lesenswert.« Draußenseiter

Bernd Imgrund und Britta Schmitz
111 KÖLNER ORTE, DIE MAN
GESEHEN HABEN MUSS / Band 1
ISBN 978-3-89705-618-3

»Das schönste Köln-Buch 2008.« Prinz
*»Das Buch dürfte selbst für den erfahrenen
Kölnkenner noch einige Überraschungen parat
halten!«* Kölner Illustrierte

Bernd Imgrund und Britta Schmitz
111 KÖLNER ORTE, DIE MAN
GESEHEN HABEN MUSS / Band 2
ISBN 978-3-89705-695-4

*»Bernd Imgrund und Britta Schmitz
haben wieder geniale, oft unbekannt Plätze
und ihre Geschichte gefunden.«* BuchMarkt

Bernd Imgrund
55 ½ ORTE AUF GOMERA, DIE MAN
GESEHEN HABEN MUSS
ISBN 978-3-95451-700-8

*»Ein Reisebuch für alle Fans und Liebhaber des
Archipels und solche, die es werden wollen und
einmal nicht auf den abgetreten Wegen wandeln
möchten.«* www.spanienaktuell.es
*»Dieses Buch von Bernd Imgrund will den Blick
auf das Besondere, das nicht sofort ins Auge
Fallende richten.«* Der Valle-Bote

Bernd Imgrund
111 KÖLNER KNEIPEN, DIE
MAN KENNEN MUSS
ISBN 978-3-89705-838-5

»Die kultigsten Kneipen von Köln.« Express
*»Der Durst kommt beim Lesen. Ein kurzweiliger
Kneipenführer, in dem es nicht um Gastrokritik,
sondern ein Stück kölscher Lebenskultur geht.«*
Kölnische Rundschau

Bernd Imgrund
111 DEUTSCHE WIRTSHÄUSER, DIE
MAN GESEHEN HABEN MUSS
ISBN 978-3-95451-080-1

*»Ein süffiger Insiderführer unserer atmosphärisch
wertvollsten Traditionslokale.«* Bild Ruhrgebiet

Bernd Imgrund
111 ORTE IN DER EIFEL, DIE MAN
GESEHEN HABEN MUSS
ISBN 978-3-95451-003-0

*»Bernd Imgrund geht es um die schönen, schaurigen
und skurrilen Orte.«* General-Anzeiger

Abbildungsnachweis

Kapitel 1 o.: KAS/Paul Bouserath, 1 u.: Stiftung Bundeskanzler-Adenauer-Haus; Kap. 3: Britta Schmitz; Kap. 4: Landesverband Lippe; Kap. 5 u.: Herzog August Bibliothek Wolfenbüttel/Losch; Kap. 7 o.: mauritius images/United Archives; Kap. 9 o.: Deutsche Grammophon; Kap. 11 o.: Renate Bethge; Kap. 13 o.: Stadtarchiv Mainz; Kap. 14 o.: Edgar Hanfstaengl; Kap. 15 u.: Stadtarchiv Tübingen; Kap. 17 o., u.: adidas group; Kap. 18 u.: Stadt Seelze; Kap 20 o., u.: Annette von Droste zu Hülshoff-Stiftung, Foto: Hanna Neander; Kap. 22 u.: Germanisches Nationalmuseum; Kap 24 o.: Helga Viebig-Kruck, u.: Predigergemeinde Erfurt; Kap. 25 o.: Eduard Blum; Kap. 26 o.: Bayer-Werke; Kap. 27 o.: M_H.DE/Wiki Commons; Kap. 28 o.: Ferdinand Schmutzer; Kap. 29 o.: Kaiserin Elisabeth Museum, Possen-hofen; Kap. 30 o.: Bwag/Wiki Commons; Kap. 33 o.: Fischer-Werke; Kap. 34 o.: akg; Kap. 35 u.: Caspar-David-Friedrich-Zentrum, Greifswald; Kap. 38 u.: MAPA GmbH; Kap. 39 o.: Fürstlich und Gräflich Fuggersches Familien- und Stiftungsarchiv; Kap. 40 o.: Paul-Gerhardt-Haus, Gräfenhainichen; Kap 43 u.: Grimmwelt Kassel/kadawittfeldarchitektur; Kap. 44 o.: Stadt Renchen; Kap. 45 o.: Louis Held; Kap. 47 o.: mauritius images/imageBROKER/Dr. Wilfried Bahnmüller, u.: Glogauer Heimatbund; Kap. 48 o., u.: Gutenberg-Museum Mainz; Kap 49 u.: Wolfgang Günzel; Kap. 50 o., u.: Stadt Köthen; Kap. 51 u.: Stiftung Händel-Haus/Thomas Ziegler; Kap. 53 o., u.: Stadtmuseum Stuttgart; Kap. 56 o.: mauritius images/United Archives; Kap. 60 o.: Franz Kafka: mauritius images/Science Source; Kap. 62 u: mauritius images/imageBROKER/GTW; Kap. 64 o.: Wilhelm Fechner, u.: Robert-Koch-Institut; Kap. 65 u.: Kopernikus-Museum Frauenburg; Kap. 67: Lessing-Museum Kamenz; Kap. 69 o.: mauritius images/Kabes; Kap. 70 u.: Bayerische Schlösserverwaltung/Anton Brandl; Kap. 71 u.: Verwaltung der staatlichen Schlösser und Gärten Hessen/Tina Kotlewski; Kap. 73 o.: Bundesarchiv; Kap. 74 o., u.: Buddenbrookhaus Lübeck, Foto u.: Thorsten Wulff; Kap. 75 o.: mauritius images/Science Source; Kap. 78 o.: KSM Duisburg; Kap. 79: Deutsche Märchenstraße e.V.; Kap. 80 o.: mauritius images/Alamy; Kap. 81 o.: Neanderthal Museum/H. Neumann; Kap 83 o.: Gustav-Adolf Schultze; Kap 85 o.: Archiv der Max-Planck-Gesellschaft, Berlin-Dahlem; Kap. 92 o.: mauritius images/ClassicStock, u.: Literaturmuseum der Moderne, Marbach; Kap. 94 o.: Schliemann-Museum Ankershagen; Kap. 95 o.: William C. Greene; Kap. 96 o.: ADN; Kap. 97 o.: Robert-Schumann-Haus Zwickau; Kap. 98 o.: Otto Donner von Richter/Richard Bong; Kap. 99: Archiv der Stockhausen-Stiftung für Musik, Kürten; Kap. 100 o., u.: Stiftung Historische Museen Hamburg; Kap. 101 o.: Geburtshaus Levi Strauss Museum, 96155 Buttenheim; Kap. 102 o.: Raimond Spekking/Wiki Commons, u.: Britta Schmitz; Kap. 103 o.: Beate Uhse Gruppe; Kap. 104 o.: Linsengericht/Wiki Commons; Kap. 105 o.: Heinrich Gerhard/Matthias Bücker de Silva; Kap. 106: Urgeschichtliches Museum Blaubeuren; Kap. 108 o.: mauritius images/United Archives; Kap. 110 o.: mauritius images/Alamy; Kap. 111 o.: Archiv Prof. Horst Zuse

Alle weiteren Gegenwartsfotos: Bernd Imgrund und Barbara Thoben
Nicht sämtliche historischen Quellen konnten ermittelt werden. Wir bitten die Betroffenen, sich beim Verlag zu melden.